日本皇室的千年收藏　中国大唐的艺术宝库

正仓院考古记

傅芸子 著

藝術與鑒藏

王立翔
汪　涛　主编

上海书画出版社

艺术与鉴藏书系

主编

王立翔　汪涛

中国艺术品的鉴藏源流及其他（代序）

艺术品鉴藏的历史，与艺术的发展历史自然有着密切的关系，但它与人类艺术行为起源并不同步。不过人类收藏活动的源头仍可推溯至人类的史前时期，主要是对食物的贮存和早期生产资料的收藏。这种收藏活动经过漫长的文明进化，历经不同的历史阶段，在不同的技术和文化条件支持、催化下，不断地附加并融合外在的功能，灌注了收藏者更多的动机和精神寄托，逐渐演化为一种复杂、高级的人类社会行为。

考古发现有力地证明了这一点。在距今有五千年之遥的许多重要遗址中，如红山文化和良渚文化遗址，发掘出了大量精美的玉器，史家判断当时已出现了较严格的等级制度。依据就是玉器的制作，需要大量的人员去寻矿、开采、运输，大量的时间去切割、琢磨、制作，其形制之不同，更是蕴藏了丰富的寓意。玉器在当时条件下具有无比珍贵的意义：它从原始的装饰物，发展成为当时最重要的部落活动——祭祀的礼器，以及王室、贵族权力、身份象征的配饰和仪仗。因此，玉器也被认定为中华民族最早具有"鉴藏"属性的艺术品之一。

以此为起点，中国的艺术品鉴藏活动开启了至少五千余年的漫长历史。从此，中国人高超的艺术创作，与发达的鉴藏活动相伴相生，鉴藏活动的起伏，又与国家社会的政治、经济盛衰休戚相关。历朝历代的艺术品为国人鉴藏活动之发育和成长，提供了丰富的物质对象，而伟大的文明进程和长期稳定的社会形态，为鉴藏活动的繁荣提供了坚实的存在基础。中国艺术是华夏文明的重要组成部分，漫长的发展时期形成了独有的根脉和系统，它与华夏民族的宇宙观念、意识形态、思维方式，以及技术工艺紧密相关，特别是技术的发展在艺术创作中发挥了关键作用，它使艺术家的奇思妙想有可能成为千姿百态的物之形态，使众多的实用器物变成了艺术品而留存于这个世上。在漫长的历史长河中，史前玉器、商周青铜、秦汉古玺、魏晋书法、唐宋绘画、明清瓷器，就如同中国文学之有楚辞汉赋、唐诗宋词般著称世界，并被公认为世界之瑰宝，艺术之巅峰。它们构成中国艺术品发展的基本源流和成就特征，鲜明地刻上了中国文化的烙印，更是历代鉴藏家财富和见识的骄傲，价值和精神的寄托。

伟大的艺术成就为艺术品鉴藏提供了客观条件，但作为鉴藏者的活动仍受制于外在的社会和技术条件，更与文化观念和时代风尚紧密相联，两者都深刻地影响着不同时期鉴藏者的主观思想。

在中国，鉴藏这种社会行为很早就与政治和礼制相关联，这一点与早期的艺术品功用有关，另外，因其财富的属性，它也代表了社会地位和权力意志。在物质条件匮乏的上古时期，财富高度积聚于上层社会，能有鉴藏行为的均为少数贵族和王室成员。"子子孙孙，勿替引之"（《诗经·小雅·楚茨》），是他们渴望财富、地位延续的最好注脚，他们将"子孙永葆"之类的文字契刻在甲骨、礼器之上，以昭示这些宝物来到他的身边，是上天意愿，并告诫子孙世世珍惜、千秋不易。这无疑是所有既得利益者的共同梦想。因此，统治阶层为维护既得利益、保持社会结构的稳定，建构了宗法等级等制度，不仅以"礼之教化"施之于民而"止邪也于未形"（《礼记·经解》），且将具怡情悦性的艺术品也赋予"成人伦，助教化"的道德教育功能，这些都成为以后统治阶层以宣示政教为主流价值观念的源头。然而社会的鼎革和国家之间利益的冲突，总是残酷地击破这些一厢情愿的美梦。因与财富和统治意志相关联，艺术品及其收藏者的命运也无可避免地与社会动荡共沉浮。《春秋左氏传》中就记录了大量宝物重器被频繁取用于政治外交，甚至于以求重器为借口而不惜杀伐征战的例证。

因此，中国早期的艺术品被赋予了复杂的社会职能，由此而产生的鉴藏观念也远远超出了对艺术品本身的关注，比如"匹夫无罪，怀璧其罪"、"玩物丧志"、"不贵异物贱用物"等等思想，都是中国早期人生观的重要组成部分。这些观念的起源，有的直接来自艺术品及其主人在历史洪流中的经验教训。最为著名的例证就是"和氏璧"，它的传奇命运，堪称是所有鉴藏故事中的极致代表，它承载了人类由鉴藏而生发的几乎所有的思考和情感。

早期史籍中大量涉及宝藏流转的相关记载，一方面说明春秋时期艺术品的藏、用活动进入了一个繁盛时期；另一方面，则体现了鉴藏观念与统治者利益和意志密切相关，它影响了社会的价值观念甚至国家行为。

值得一提的还有魏晋南北朝时期。彼时中国大地进入政权交替割据的局面，中原大批人口，尤其是社会精英多迁徙江南。因大一统的政治、军事格局被打破，独尊的儒学失去政治的庇护而大为颓弱，文化思想迎来类似战国时期那样的自由活跃环境，其中以玄学和佛教思想分别迎得知识和世俗阶层的推崇而风行尤甚。在这三百余年间，主要在南方，文化艺术达到了空前的繁荣。值得注意的是，在物质和技术条件支持下，以卷轴书画为主要鉴藏对象的艺术作品为更多的文人雅士所推崇，鉴藏活动冲破了统治阶层的权贵屏障。他们以卓越的才华，乘文事之盛，将文学、人物的品藻之风与艺术鉴赏相联系，大大开阔了艺术品鉴藏的审美视界和精神疆域，丰富了秦汉以降对艺术品功能、价值的认识，这种新思想影响了此后历朝上至帝王下至民众，尤其是占艺术品鉴藏活动主体的士大夫群体，成为以后中国艺术品鉴藏的重要特征和理论体系的核心。

如前所述，中国鉴藏史的跨度大约有五千年之久，而期间以史料遗存和获得的不一，我们对各时期的认识也差异甚大。但大致我们可以从这样几个方面来观察其发展流变的总体状貌。

1、皇家收藏，是历代鉴藏活动的主体

早期的艺术品从其基本特性中延伸的品类群生、彰显教化、煊赫治功的功能，就是王权有意宣示的各种表现，因而为帝王所看重。而随着艺术品形象、直观、美化、娱情等艺术本体特性发育得愈加显著，艺术创作的精神性沟通和悦目游艺的自由舒怀，得到了鉴藏者，尤其是王室的更为充分的认识。历朝帝王，尤其是那些对艺术品抱有浓厚兴趣、鉴赏眼光高人一筹的帝王，把以强权而"富有天下"视作天经地义，他们利用地位和权威，建府立制，或笑纳各方朝贡进献，或收罗天下珍品异宝，充栋内府禁苑；或调集天下名工巧匠，以为己用，形成以礼制政教为主体的"官家"宫廷艺术；他们的作为和标榜，直接影响了当时及后世鉴藏活动的方方面面。因此，中国历代的鉴藏活动的主体是皇家。这一现象无论是传世艺术品自身，还是在各种史志、著录中，都有充分的体现。

2、文人风尚，引领了民间私藏活动的潮流

与皇家相对应的是民间，不过这个鉴藏群体的主要构成是贵族、官宦和富商，一般平民布衣是无法跻身这个以财富为基础的特殊领域的。这其中文人士大夫逐渐成为这个群体的意见领袖，他们有的以开阔的知识视野、深湛的学问根蒂、较高的艺术品味，不断探寻和开掘了鉴藏活动的内在精神世界，有的甚至亲身参与艺术创作，将思想趣味与艺术表现相融合，标榜艺术品的文化价值，分野雅俗之间，形成了不同时期的风尚。知识阶层大范围介入艺术品鉴藏活动，也起端于魏晋时期。从此，鉴藏活动与文人结缘。知识阶层的介入，大大推动了鉴藏活动内涵的完备和形式的丰富。如齐梁谢赫、北周姚最等一大批具有品鉴眼光的文人士大夫从事书画鉴藏活动，不仅开启鉴藏著录一科，更大大推进了艺术品鉴的实践总结和理论研究。及至北宋欧阳修、赵明诚、吕大临等怀经史之才，以金石学开启了鉴藏研究的崭新门径，且为鉴藏学规范的确立建有筚路蓝缕之功。到了明清两季，随着手工业的发达、海外贸易以及地下碑刻器物出土的增多，公私鉴藏异常繁盛，受朴学的影响，一些阁僚高官和学界大家发挥了至关重要的学术探究、引领鉴藏的作用，如文徵明、钱谦益、翁方纲、阮元、何绍基、陈介祺、吴大澂等都成为知名的学者型鉴藏家。文人士大夫在鉴藏活动中地位的不断凸显，与他们在中国社会阶层的地位变化极为有关。

3、鉴藏活动的盛衰，与历代的政治经济社会文化的发展轨迹密切关联

纵观历朝的艺术品鉴藏之发展，每逢政治清明、社会安定、经济繁荣，正是鉴藏活跃发展的大好时期，而鉴藏的重要对象——各种艺术品，包括字画和瓷器、铜器、玉器等各种古器物，本身也是前、当代社会昌明文化发达的结晶，这印证了与艺术有关的技术条件和创作水平的不断提升。鉴藏活动开掘了艺术品的经济价值，推进了艺术的实践探索和与之相关的工艺发展，对社会经济文化的繁荣产生了积极的影响。但随着财富特性的愈加彰显，艺术品也诱发着人类本性中自私奢靡乃至贪婪的阴暗一面，因而随之产生了巧取、豪夺、贿赂、厚葬、盗墓、作伪等等与鉴藏相伴随的种种肮脏行为。

4、皇家鉴藏高度聚集，造成中国历代艺术品亦得亦失

如前所述，历代鉴藏活动是以皇家庋藏为中心。数千年以来，历代帝王一直自视中华为文明之邦，有着崇尚文物，聚蓄典籍、宝藏的传统。《历代名画记》所记汉武帝"创置秘阁，以聚图书，汉明（帝）雅好丹青，别开画室，又创鸿都学以集奇艺，天下之艺云集"，或许是史料记载下的皇家首次大收藏行动。后代的帝王纷纷效仿，尤以新朝初立为甚，并不断在体量上扩充，以至天下宝物，收罗殆尽。如此高度聚藏的结果，就是所藏文物命悬国运，而最终等待的是王朝倾覆、累世所藏毁于一旦的悲剧。类似浩劫几乎每遇重大战乱、帝都失控，历朝都会悲剧重演，屈指数来，宫廷庋藏之殇，竟有十次之多，而造成的损失，实是华夏文明的一次又一次灾难。宫廷收藏是封建帝王专制统治下的必然产物，作为鉴藏史之主要构成，其始末成因，所得所失，洵足后人深刻探究和反省。

5、分野于鸦片战争的中国艺术品域外鉴藏

无论是从中国鉴藏史的完整性还是从世界文化交流的不同视角来看，域外中国艺术品鉴藏都是一个十分重要的内容。这些区域、国家与中国的历史渊源和当时关系各不相一，所受文化影响程度也不尽相同，因此鉴藏的情状也各不相同，对这些情状的研究有助于认识中国艺术品在世界范围内的影响和意义。

域外鉴藏首先要研究中国的艺术品是如何"走出去"的。中国虽然西困高原沙漠，东濒滔滔大海，但艺术品鉴藏活动的范围绝不仅限于中国本土，最为著名的丝绸之路和海上交通，分别最晚于秦汉完成了与周边邻国的沟通。借助贸易和外交活动，中国艺术品必然早早地担负起文化、经济交流的使命，丝绸、瓷器因最受域外民族的欢迎而成为了中国制造的主角，甚而演为中国的代名词。到了盛唐，对外贸易线路发展到了七条之多，距离、规模均创空前。虽然丝路海上此消彼涨，但中国艺术品出口的态势基本未变。直至鸦片战争，国门被西方船炮彻底轰开，贸易主导的方式完全颠倒，域外中国艺术品鉴藏活动的性质截然改变。与中国近代历史的转捩一样，鸦片战争（以圆明园劫难为标志）成为中国域外鉴藏活动的转折点。

1860年的圆明园劫难，不仅导致了这座旷世园林和一百五十万件艺术品直接被损毁劫掠，更开启了近世中国文物不断流散的噩运，成为中国鉴藏史上最大的一次浩劫。就在清王朝命数将绝之时，又先后发现了震惊中外的殷墟书契和敦煌宝藏，正值动乱的中国无力看护这些十九世纪末二十世纪初的重大发现，仅敦煌文物就被英法俄日美等国以多支探险队名义巧取掠走至少二万六千余件。进入民国，仍国事动荡，战乱连绵，从出土到传世，从故宫到民间，国内外各种势力和个人利用抢掠、偷盗、贿授、骗夺、私贩、交易等种种手段，导致中华文物频频流向海外，以至无法计数。所幸的是在此间的历次战火中，中国艺术品最重要的遗脉——皇家珍藏，历经万险，虽此后海峡相隔，但大体未损，仍在中华子孙手中，也算创下一个鉴藏史上最庆幸的奇迹。直至新中国建立，动荡逾百年的一段伤心史终于划上了句号。

中国艺术品身处异邦的命运及其产生的影响，是鉴藏研究的另一个重要内容。从近世算起，中国艺术品在域外的历史也已经将近有两个世纪的历史了。在如此漫长而又背景不同的历程中，尤其是在近代以来付出惨重代价，我们历数那些人和物，心中不由泛起复杂的感情。但总体而言，中国的历史文化和艺术成就逐渐赢得了世界的尊重，尤其在今天，中国综合影响力的上升，更推动了中国艺术品珍贵价值的再认识。客观上，域外的中国艺术品收藏，与其他国家或民族的文明成就一起，汇聚成了人类共同进步的光环。

我们梳理了中国艺术品鉴藏的一些源流及部分特性，就可以感受到"艺术品鉴藏"一门，有着极其丰厚的内容和复杂的历史轨迹。它可能由物（艺术品）或人诱发一段机缘，产生复杂的事态、感情甚至思想，由此开启一段物（艺术品）的"生命"历程。这一"生命"也许片刻夭折，也许顽强地生存且超过几十代人总和；它与同它的不同主人恩恩怨怨，历尽磨难，也犹如沧海一粟，见盛观衰，尝尽世态炎凉。它诞生于一方特殊的土壤，满身中国的基因，读懂它鉴别它珍视它，需要与它一样植根与中国的历史文化之中；评估它研究它欣赏它，需要积聚它历任主人的学识素养，并发扬超越前人的才华智慧和无微不至的爱心。

中国艺术品鉴藏就是这样一项富有神奇魔力的人类活动，它贯穿构想、制作、鉴别、流通、庋藏、欣赏等多个过程，每个过程既与艺术创作发展及其精神诉求有着紧密的关联，又有其自身的内在特性和规律，都需要专业手段和学科知识的支撑，涉及诸如历史、社会、经济、文化、思想、心理等等领域，拥有极为丰富的内涵和精神世界。中国艺术品鉴藏历史如此悠久，近十几年来也已成为十分热门的行为和受关注的话题，但深入关注鉴藏内涵和史实研究的工作却并不多，而呈现出鉴藏界人士追逐利益多、鉴藏行为鱼目混珠多，问题研讨浮于表层多的现象。中国的鉴藏研究必须要向更高的学术水准发展，或有以下几项工作亟需得到学界重视：

1、加强符合现代学术规范和体系要求的鉴藏学科建设

如上所述，与鉴藏学有关的领域如此众多，那就意味着它必然是一门交叉性学科，需要足够开阔的学术视野、结构多元的知识作基础，去总结传统的鉴藏学问和手段，吸收其他成功学科的经验，逐渐架构起一整套严谨的系统方法。这项工作在中国起步晚，虽有诸多有识之士推动，但相关的教学或研究往往仍限某一局部，尚未迈出整体的、学科建设性的步伐。

2、加强追踪、梳理世界范围内中国艺术品的往世今生，加快挖掘、整理相关的历史文献

这是鉴藏学科发展和研究的基础。如上所述，历史上，尤其是近代以来中国艺术品散失的情况非常严重，今人应利用各种条件弄清历史上和现存的中国艺术品状况。另外，有关中国鉴藏方面的文献，总体上呈前疏后详的特征，如何去伪存真，辨析纷乱的信息，相关专家应继承、发扬中国学术传统，系统整理史料，开掘传统著录之外的海内外新文献，以便今人站在前人肩膀上，去接近历史的本相。

3、要融汇相关的学术成果，运用客观的史观、严谨的方法，将个案研究和宏观论述相结合，来系统梳理和总结中国的鉴藏史

一方面，我们要将鉴藏史放入中国历史之中，在具体的政治经济文化环境下，去探寻接近人（收藏者）—物（艺术品）—事（过程）的真实，去追寻它们之间的关系、缘由和潜藏的意义。另一方面，我们要用更宏大的视野，将中国鉴藏史放置于世界的格局中，去直面、探寻、记录、辨析在异乡他国的中国艺术品鉴藏的行为、过程及其理解、认识，去审视中外有关鉴藏文化的异同，这其实是近代以来中华文明在世界中之价值命题追问的延续。

4、要从艺术与鉴藏之间的关系，来审视两者的相互作用

艺术品是鉴藏的对象，在一定条件下，其作用关系发生互换。鉴藏的主观意愿或形成主导或分化群体风尚，又作用于艺术品的创作；随着鉴藏者欣赏口味的变化，艺术创作的审美趣味、创作观念、方式风格都会产生相应的变化。而随着鉴藏活动的深入，艺术作品价值的提升，艺术品的作伪和鉴伪也应运而生。艺术与鉴藏之间，在不同时代，产生了无数的案例和经验教训，是鉴藏一门需要花大力气去梳理、研究的课题，也是对当今鉴藏活动最有现实影响的主题。

艺术品鉴藏是一种社会活动，也是一种精神活动。根植于中华民族文化土壤的中国艺术，以其独特的呈现方式屹立于世界之林，并以其东方精神，滋养着每一位与它相视而会意的观者、藏家。这就是中国艺术品鉴藏的魅力所在——人与藏品达到"相知"、"通神"的境界。鉴于中国艺术品鉴藏其内涵如此之丰富，而与之有关、亟需去展开的工作如此之多，我们从三年前就开始探讨如何搭建平台，搜寻、组织、出版海内外史料翔实、史论交互、方法新颖、主题鲜明的高质量研究著作，为开掘尘封已久的史料，厘清错综迁延的鉴藏史脉络，寻绎和逼近历史真相，尽些所能。如今终于迈出实质性一步，兴奋之情，溢于言表。在这里，我们要感谢所有参与者的倾情付出，也期盼海内外更多的学界朋友，来为中国艺术品鉴藏研究的深入，作出共同的努力。

主　编

2014年3月

目　录

日本奈良正仓院

原版序一

　　《正仓院考古记》民国傅芸子先生所著也。自我国通使隋唐、文物波及列圣，取其资治道、厚民生者，以恢弘鸿业。损益之故、陶铸之迹、载于政书，存于古器。譬诸希腊文化，受影响于埃及；罗马艺术，溯渊源于希腊，而均不失其为固有文化。天平文化之盛，亦如此而已。

　　正仓院尊藏衣冠服饰、武备、农工、日常器用、玩好、音乐、文房、供佛之具，其中有自唐传来者，有存于我而佚于彼者，有系我工师作者，有不能辨内外者，珍物罗列，焕焉炫目，为天下罕伦之一大宝库。先生聘为京都大学及东方研究所讲师多年，以博雅之才，耽考古之思，屡游奈良，观瞻尊藏。稽之其国史籍，又征之邦人著述，刻苦研摩，遂能成此书。若谓鸟毛立女屏风疑归化唐工所作，而着想则本于其国当时流行之毛裙，后又以施于屏风。文字入胜，为用有二：一以金箔镂成，人日贴于屏风；二剪彩为之，戴于头鬘。此物乃用贴于屏风，与唐李商隐《人日即事》诗合。木画紫檀棋局凡十九道。明胡应麟未见实物，仅据唐诗咏棋有十九条平路句，疑唐局为十九道。柳子厚记石局十八道可弈，非通制。今征于此，知胡说不误。双六局有南北之别。此中所陈，尚有双六头、杂玉双六子，其状如棋子。知日本双六，乃南种，非北种，与洪迈《谱双·序》：亘辽以东，或谓与南不殊语，足互相证明。其辨一事，稽一物，必有所本，不为架空之说。斯书一出，知世之考唐代文化者，得以为指针。稽天平文化者，又得以明其来历，与冶熔变化之美。则其益于学界，不特我两国矣。直喜学问浅薄，于艺术一道，毫无知识，但与先生交久，序文之征不敢辞。爰缀次所见，以答雅意。

狩野直喜

昭和辛巳二月

原版序二

　　正仓院是我国皇室之宝库，创建于圣武天皇逝世之后、光明皇后天平胜宝八年，奉为追福先帝将"国家珍宝种种玩好及御带牙笏刀剑兼书法乐器等入东大寺、供养卢舍那佛及诸佛菩萨一切贤圣"时。尔来阅星霜已为一千一百余年。其间几度兵祸幸免其厄，雷火未及其灾，绵绵至今，洵是神佛加护之所致也。若夫以时代之古而论，比正仓院所藏之诸物更古而上溯数世纪以前者，亦不必为稀世，然而此皆为出土品，未遭风土所侵蚀，水火所毁损，不可与院所藏之新成者同日而语。何况所藏之品种颇多，图书屏风鉴镜棋局之类不待言，自染织药物至文房珍玩、农工器具，几乎无不备矣。固然现所藏之诸品，不仅有皇家珍宝，其中尚有不少当时达官贵人所捐赠，或东大寺旧藏之物。此外亦有不可证实其年代者，但照其作风手法等观之，毫无疑义皆是奈良朝或其以前之物。更就产地而言，或有从唐土招来，或有在我国制作，然而天平前后是我国受隋唐感化最浓厚之时代，至少上流社会之趣味好尚几乎无异于彼处，技艺之进步亦能与彼处雁行，而题名款识非铭记，因此无人能鉴别之。于是所藏之诸品既可以表扬我国古代艺术之精华，又足以推测隋唐人之生活状况。正仓院称为学界至宝之由来实在于此。

　　傅君芸子郑重其事应我国东方文化研究所之邀，东渡而旅居京洛，已度几个寒暑。其间特为所许可参观正仓院，亲自就实物一一检点，一一加注，且博搜古今记录而详述其性质、用途及是否传来，以成此书，加之插入几十叶相片，使人感如亲眼目睹。乃此《考古记》一书可称为既阐明自古彬彬之东方文化遗迹，又向世界宣扬我国正仓院之价值。本书成稿后，君求我撰序。我多君之劳，且确信其裨补学海之大，乐意提言于卷头，代为序文而已。

松本文三郎

于东方文化研究所

昭和十六年一月

(千野拓政　译)

原版序三

　　吾国奈良之朝为文化最发达之时代，政治上，大化革新以后文物制度一切完备，文化上，继承飞鸟时代，美术技艺达精炼之域，其绚烂之光景正如万树樱花撩乱盛开，世上称之为奈良朝文化或天平文化。

　　当时唐土相当于李氏唐朝，继承隋朝统一长久分裂之天下后，再扩大版图，与印度西域亦有频繁之交通，吸收且融会其文化，以开创绝代盛运。而与吾国往来频繁之极，自然其文物流入吾国者加多，为出现华丽之奈良朝文化有多大寄予，亦不待言也。

　　正仓院宝库之创建不下于奈良朝天平时代，现居奈良市西北东大寺附近，为依然保有当年形态之一大木造仓库。库中所藏之宝物，时代亦同于宝库之建设，其样式既多种且无数，网罗当时美术工艺之精髓，而其大部分精巧鲜美灿烂眩目，恰如晚近制作。惟如此多数宝物完全保存于一堂，经一千年之久以至今者，世界上恐不得见其类。

　　此宝库本东大寺所管，然库中所藏之宝物，与皇室特有来历，因此自始立法以敕命久锁闭之，定为点检暴晒或有必要时先奉敕许，派遣差使后才能开门。此制度虽天下有治乱兴亡累世无变，至明治编入世传御料[1]，改以帝室博物馆总长管理其事务后，犹袭敕锁之制以至今日。

　　按正仓院创建以来经过多少年月，其间濒危之机固然不少，然而一木造建筑经一千二百余年之久，尚能与其所藏之无量贵重品俱存至今之由来，实不外敕锁之所赐也。盖吾国民古来尊崇皇

<hr/>

【1】世传御料：日本旧皇室典范所规定的皇室财产制度之一。此财产属于天皇世袭而不允许分割或转让。

室，遵奉敕命，严守敕锁，无敢侵犯之者。当天灾之际虽罹落雷之厄，仅烧门扇不至大祸。又当战乱之际虽兵燹咫尺于街，四邻化为烧土，祝融亦加护本宝库。如此等虽不可不归于天佑，然而当战国墙垣朽败，流浪之徒连年自由出入园内，甚至任意起卧于地板下时，亦无有敢损毁宝库墙壁者，是偏为国民性所致，其传世之久可谓宜乎。吾国人特为尊崇正仓院且全国民齐矜骄之由来，既在于其所藏之宝物皆为贵重品而与皇室特有来历，其传世之久亦有万国无比之理由。

正仓院每年秋季奉敕开门，将宝物晒十几日为例，此期间有所定之资格及由评议受认可者可以进库内参观宝物。傅先生年前作为学者受许可参观正仓院，之后不久将《正仓院考古记》登载于《国闻周报》，按照唐土文献解说多数宝物之由来及性质，同时解释隋唐文物，以阐明彼此文化之交错杂糅。予当时任帝室博物馆长之职，读之则见考证正确，观察犀利，多立前人未发之说，且补订所谓世上定说，故受极多启发，深为佩服先生学识淹博。其文虽匆匆而成，尚且如此益于人。日前先生更加精研审核，至于改订增补前文为一书而问世，盖有不少裨益学界之处。先生此书固然属于有关正仓院宝物之研究，但其目的在于使人理解所谓东亚文化如何优越于世界，且使建设将来之文化者有所自省，盖如考核史乘者不过其手段之一而已。此点读者亦必有所感受。果然，此书不可不称为东亚古文化史兼一大文化论，予敢为世人推荐此书之理由实在于此。

杉荣三郎

昭和十六年一月

（千野拓政 译）

原版序四

　　不佞读大村西崖所著《正仓院志》，始知正仓院及其古物，心向往之，此已是三十年前事矣。嗣于平子铎岭书中得见二三麈尾图，又在别处见开元年款制墨影片，皆是正仓院藏物，令人惊且喜，此固是千余年前古器物，第其用不仅限于考古，实在可以说是读书常识之一部分，现今学子亦多应知道者也。我辈谈墨上溯南唐，却亦无人见过，今明皇时墨实物尚存，且在沈香亭赋诗之前，岂非奇珍，可开眼界。自读《世说新语》，莫不知有麈尾其物，平常总以为形似拂子，然则王谢家风乃与禅和子无殊耶，正如古德持现时如意，争能搔背，都非考查旧物，不能知其本来面目，读书作画亦便处处障碍也。夫正仓院御物在日本为国宝，其重要意义所当别论，在异国人立场自未免稍异，不佞所最感兴味者，乃在于因诸遗物得以窥见中国过去文化之一斑，而此种名物在中国又多以无考，日本独尚有保存，千百年后足供后人瞻仰赞叹，其为惠实大已。若日本特殊文化，研究非易，泰西法勒耳翁辈虽有论列，今未及问津，宁从盖阙，唯古称同种同文，则语本无根，泥古而不通今，论学大忌，如或以与中国有关之资料为唯一证据，以为日本古文化即是如此，斯则陷于大谬，无一是处，有如瞽人扪烛以为是日，不但按灭烛光，抑且将灼其指矣。傅芸子先生在日本京都讲学多年，特蒙便宜，得至奈良数次参观正仓院，写成《考古记》一卷，将以问世，命写序文，傅先生倾倒其该博之学识与经验，以成是书，记录考证，备极详明，辅以多数图象，有益于吾国学子者极大，更奚俟不佞赘言，唯见著书主旨大段与鄙意相合，私心窃喜，因不辞图陋，略述所见，用以塞责云尔。

周作人

中华民国二十九年九月三十日

原版自序

　　往昔涉览《东瀛珠光》，颇神往日本正仓院所藏唐代遗物之富，洎来日本，幸得特许瞻览，睹其品物之可认为唐制者，璀璨瑰丽，迄今千百余年，犹焕然发奇光。而日本奈良朝以来，吸取中国文化别为日本特有风调之制品，并觉其优秀绝伦，为之叹赏不置。于是以知正仓院之特殊性，固不仅显示有唐文物之盛，而中日文化交流所形成之优越性又于以窥见焉。因撼所见为《正仓院考古记》一稿，刊于《国闻周报》，绍介于世。此稿嗣为前帝室博物馆总长杉荣三郎博士所见，谬蒙奖誉，继又许余入览，今已四次矣。对于院藏诸御物，益见其美，觉前文所记，颇有可资增益者，爰取旧稿，加以理董，又承东京帝室博物馆当局特许选用院藏御物摄影，制为图版，文求堂主人田中氏为余刊行之。窃思院藏品物丰富，在学术上所涉问题亦广，而诸物由来之为唐为和，浅学如余，亦不敢妄为诠定，兹姑就其为唐制有可资印证故籍者，略为推测说明，亦不过扪烛扣盘而已。此编旨在绍介院藏诸物特色，故记述详于考证，冀为后之览者作一导引，有志研究者备一参考，或不无微补焉。

傅芸子

中华民国二十九年八月二十五日

凡 例

一、拙稿曾于民国二十五年六月发表于《国闻周报》第十三卷第廿一至廿四期中，兹据前稿颇有增益之处，惟第三章"正仓院之观览"节，为纪念故滨田耕作博士起见，仍存原稿，微加修正而已。

二、本编于院藏品物名称，悉据《正仓院御物图录》及《正仓院御物棚别目录》二书，均以""符号别之，凡有假借字，如"庄"之为"装"之类，一依原书未改。

三、本编各图版所附之品物尺度，均据《正仓院御物图录》原载者照刊。

四、本编图版悉选用《正仓院御物图录》各辑所载写真，承松本文三郎、杉荣三郎两博士绍介，蒙东京帝室博物馆渡部信总长之特许，假用御物原版摄影，复制刊行，尤为拙著生色弗鲜，谨此一一志谢。

五、拙稿谬蒙狩野直喜博士，吉川幸次郎学士之盛意推荐，文求堂主人田中庆太郎氏慨允刊行，无任感幸，谨此志谢。

六、拙稿蒙诸方家，惠赐序文，至深荣幸，谨序年齿，列载前后，并无王卢之分也。

七、本编图版暨插图之采集，承帝室博物馆监查官野间清六，京大文学部讲师源丰宗东方文化研究所研究员长广敏雄及林谦三，奥村伊九良诸氏之盛意匡助，或力为赞襄，或见假图象，均深感谢，而吉川幸次郎氏对于拙稿之刊行，自始至终，尤多仰赖，为不佞所深感者也。

一、正仓院之由来

正仓院在日本古都奈良市东大寺大佛殿之西北，为日本皇室所有之一特殊宝库，境内主要建筑物，仅一素朴无饰之木质的"校仓"[1]而已。全仓区分北中南三部，即世所谓之三仓，南北两仓均以三棱形木材叠积而成，下承巨柱，距地甚深，可通往来。相传初止二仓，中仓乃后之增设者，故所用之木材为方板，异于南北两仓。各仓内部，均分上下二层，陈有玻璃柜橱，各种古物，庋藏其中，平时严扃，每岁仅十一月初旬，曝晾展观数日，临时仓外设梯升降，逾期撤去，即悄无人迹矣。三仓启闭，须经天皇之裁可，赐以御书封条，往昔典礼，极为隆重，至今届时惟遣敕使莅此启封，及曝晾毕，敕使复奉御书封条，再来封识——谓之"敕封"——以后任何人皆不得擅启矣。

三仓创建年代，虽不能确悉，然此仓原为东大寺之宝库，大约在天平胜宝三年（751）大佛殿落成之际，为纳寺宝关系，即已有之，日本一般学者多承认此说。至于中仓始于何时，则颇有异议。其最著者如故大村西崖[2]氏则谓[3]：中仓乃后之增设者，大约成于天平宝字五年（761）之际，而故关野贞[4]博士自构造上观察则谓[5]：三仓乃当初同时建造者。三仓原在东大寺内，明治（1868—1911）初年始与寺分离，另划成一区域，成为今日之正仓院也。

【1】"校仓"（あぜくら）为森林地带中之一种木舍，中国云南，苏俄西伯利亚，欧洲瑞士等处之山岳地方亦有之，惟日本式之"校仓"，其基最高，此其特异处。关于正仓院之"校仓"的研究，关野贞博士有《正仓院之校仓》一文（载《正仓院之研究》，《东洋美术》特辑）述之最详。
【2】编者按：大村西崖(1867—1927)，日本东洋美术史家，密教研究者。
【3】详见大村西崖：《正仓院志》页一，建筑。（审美书院刊本）
【4】编者按：关野贞(1868—1935)，日本建筑史家。
【5】详见关野贞：《正仓院の校仓》。

正仓院与东大寺在历史上极有密切关系，今三仓所藏古物，其主要部分，多系圣武天皇[1]御物，当天平胜宝四年（752）东大寺大佛[2]举行开眼供养大法会时，上自圣武天皇，光明皇后，下迄百官庶民，无不参与盛会。逾四年（756）天皇升遐，是岁六月二十二日为帝之七七忌辰，光明皇后即以"先帝玩弄之珍，内司供拟之物"[3]供献佛前，藉祈冥福，有《东大寺献物帐》五卷，今犹存北仓中，为正仓院宝物最初之文献记录。此种品物咸为日本皇室珍宝，颇有来自隋唐两代中土及新罗、百济者，厥后尚有献纳，亦均珍袭北仓中。此外亦有当时重臣命妇暨比丘尼等所进献者，其献物附识之小木牌，今犹存仓中，有橘夫人[4]，藤原朝臣袁比，尼善光等诸名可考，此类献品多纳于中、南两仓，又关于大佛开眼法会所用之法物面具舞衣诸品，亦多藏于此两仓中，因有"官物"、"寺物"之别；然自明治以来，三仓品物，以屡经启检曝晾之故，屡藏之处，颇有移动，"官物"、"寺物"大体已无区别，第三仓存储之分，仍保持原义，可见各种品物进献之所由始。

三仓往昔封闭，年不一启，虽由东大寺保管，然事实上仍为国有物品，洎明治十四年（1881）正仓院宝物改归农商务省博物局管理，后又归帝室博物馆总长主管至今，启闭则由宫内省司之，自是始与东大寺完全无关。直至明治四十三年（1910）起，每岁曝晾之际，始许有资格者入内观览，相沿至今为例焉。

【1】编者按：圣武天皇（701—756），日本奈良时代的第45代天皇，自神龟元年（724）至天平胜宝元年（749）在位。

【2】东大寺大佛开毗卢遮那（Vairocana）佛，高日本尺五十三尺五寸，自莲台之下至光背之顶，共高一百三十二尺，可谓世界第一之大铜佛。铸造自天平十七年（745）始工，至宝龟二年（771）光背完成，前后共费二十六年之久。当大佛开眼供养会时，像甫铸竣，尚未涂金，盖恐圣武天皇有不豫之故，乃提前举行。大佛后屡遭兵燹，今之大佛乃元禄（1688—1703）年间修补者。

【3】二语见光明皇后御制：《为太上天皇舍国家珍宝等入东大寺愿文》，原文据《东瀛珠光》第一辑所载。

【4】编者按：橘夫人（670—733），即光明皇后之母橘三千代。

二、正仓院之价值

　　正仓院虽不过一素朴无饰之木仓，然迄今已阅一千二百余年之星霜，仓之全体，未见若何残毁；内藏品物，稽之最初入藏文献，亦未见多量损失；其管理有方，保存得法，洵为世界罕与伦比之宝库！

　　就其所藏品物言之，所含种类亦极丰富。举凡衣冠服饰，武备农工，日常器用，游艺玩好诸品，以逮佛具法物，无不赅备，凡二十种，二百四十类，五千六百四十五点[1]。此种品物，言其来源，有为中国隋唐两代产物，经当时之遣隋使、遣唐使、留学生、学问僧及渡日僧等自中土将来者。亦有自中土或自新罗、百济东渡之工匠在日本制作者。亦有日本奈良时代（645—781）吸取唐代文化，或别抒新意匠，或模仿唐制而成者。亦间有海南产物，舶载来此者。总之除若干可认为唐土传来及纯粹日本之制品外，其余亦多感受唐代文化的影响与夫带有唐代流行的趣味者也。

　　有唐一代，尤以盛唐之文化，可称中国历史上的黄金时代，既上承南北两朝育成之文明，复又继而光大之。盛唐之世，疆宇远拓，又不时接触外来各民族——若伊兰若印度——之文化，撷取菁华，孕毓发扬，遂造成超越世界灿然不灭之唐代文化；东至日本、高丽，西至高昌、于阗，亦无不被其影响，而日本奈良朝，尤其是天平时代（724—781）又为唐代文化输入日本之极盛

【1】御物点数据前帝室博物馆总长大岛义修氏：《正仓院御物に就て》所记数目，见《天平の文化》页120（朝日新闻社刊）。

时期。原田淑人博士[1]尝谓："当时自都城制度以至服饰几乎使人兴起一种彼我如一欤的感想。"[2]而吾人尝观法隆寺旧传圣德太子[3]画像，察其所冠漆纱冠，唐幞头也；其阙腋袍，唐缺骻袍也；恍如唐人造像，亦确具此同一之感。

然而唐代文物以及当时日常生活状态，吾人仅得于史册上，窥见一斑；至其品物如何，亦徒于文字中想象见之。即如：工艺品中之金银平脱、象牙拨镂、夹缬、织成；日常用品如：古人所称凭轼之轼，挥麈之麈，人日所用之人胜，薰褥所用之薰炉；唐舞曲中如《破阵乐》、《兰陵王》、《三台》、《浑脱》所用之衣装舞具[4]；乐器中之五弦、阮咸、尺八、箜篌，及今宝物无存，究难获其确解。至今千百年之下，求之国内，欲睹其实物，岂非一绝难之事乎？然院藏于上述诸物，匪惟具存；抑且有多种珍品为吾人求之而不可得者，今皆完整无损，聚于一堂，至足充分显示唐代文化与夫奈良朝日本文化的两种优越性，弥足补吾人对于唐代文化向所不能充分领略之遗憾，其价值固超越西陲发见之一些断纨零缣的残缺品也。吾尝谓苟能置身正仓院一观所藏各物，直不啻身在盛唐之世！故其在考古学、美术史、文学、民俗学各方面所予吾人之观感与丰富的研究资料，其价值岂可以数量计之哉？尤非余区区此文所能尽述者也。

【1】编者按：原田淑人（1885—1974），日本考古学家，1940年参加东亚考古学会，在中国东北、河北、内蒙古等地进行考古调查，创立日本近代考古学的"东京学派"。
【2】见原田淑人：《天平时代に于ける宫廷の服饰》，《天平の文化》页426。
【3】编者按：圣德太子（574—622），原名厩户，别名丰聪耳，上宫王，日本飞鸟时代（600—710）的政治家，女帝推古朝的改革推行者。
【4】据石田茂作：《正仓院御物年表》所载，南仓未陈品有"唐古乐破阵乐袄子"、"唐古乐罗陵王接腰"、"唐中乐三台袄子"、"唐散乐浑脱半臂"等。——《正仓院の研究（东洋美术特辑）》。

三、正仓院之观览

欧美各专门学人之东游日本者，莫不以一观正仓院为荣幸。盖正仓院所藏品物，其价值既如上述；而观览资格，限制复严，本国人非高等官及专门研究家，不得入内观览。外国人亦须经外交长官之介，经宫内省之诠衡，审查合格，发给"拜观券"，届期始可入览一次，其不易如此。职是之故，益为世界所重，每年有远涉重洋来此者。余于民国二十二年（1933）东渡，承乏京都帝国大学讲师，来此极思一观，是年因办理观览手续已迟，翌年始得如愿，实为余东游惟一荣幸之事也。

是岁十一月五日为正仓院展观第一日，晨八时余，东方文化学院京都研究所研究员水野清一[1]学士来访，约同丹麦民俗学家Smidt女士，赴奈良瞻览正仓院。九时至京都驿奈良电车站候车，时京大同人滨田青陵（耕作）博士夫妇暨东大池内宏[2]博士不期相晤，盖亦往观正仓院者。未几同乘电车东南行，直趋奈良。时已深秋，丹枫黄叶，景物宜人。惜为慢车，经一小时余始达，设为快车，仅需四十五分。滨田博士乃唤一汽车，招吾等同乘，顷刻即抵正仓院，盖步行亦不过十五分余耳。

正仓院门前，设临时官幕，有帝室博物馆特派员，办理签名验券及招待说明诸事。观览者多着西式或和式礼服，先缴"拜观券"，然后签名发还，继至西室，候集数人，由招待员导入，其郑重如此。

时同来者均已散开，余得滨田博士之助，手续幸先办竣，即随一部分观览者，鱼贯而入，经长林石径迤逦至仓下。三仓东向，设临时木梯，至此易拖鞋，拾级登仓。余先至北仓，帝室博物馆委员关保之助君，于此招待说明，以余为华人，颇加注意，盖余是日着华服，已引起一般人士之注意也。滨田博士旋为余绍介于关君，彼谓极愿余告其观览所得，藉资研究云。

仓中设玻璃橱柜，古物分陈其中。惟仓内光线黝暗，非携电炬，不能审视。水野君幸携一大型电炬来此，因得假之一观，然犹有未能畅视者，盖品质既古，光线复暗，实难谛视，仅辨物体而不能观赏其表面花纹之优美者殊多。年来暇时翻览《东瀛珠光》[1]、《正仓院御物图录》[2]二书，始获领略其妙。以下所述，皆其重要之品，多可证唐制者。其余纯日本制品尚多，不遑细述。

【1】《东瀛珠光》共六辑，明治四十三年（1910）刊行、宫内省藏版。

【2】《正仓院御物图录》东京帝室博物馆刊行，昭和三年（1928）起，已刊至第十三辑。

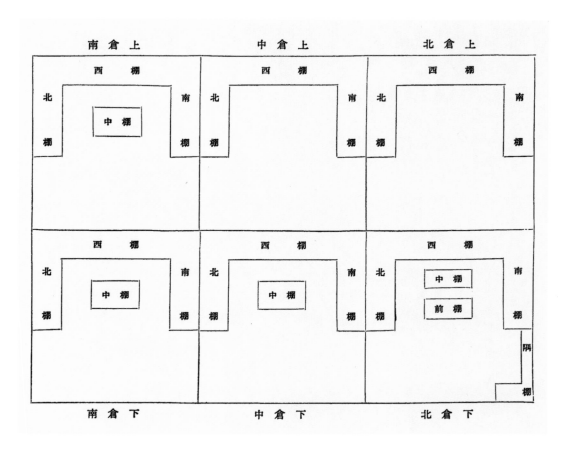

三仓内部平面图

四、三仓之概观

北仓下

北仓所藏品物以天平胜宝八年（756）及天平宝字二年（758）五卷《献物帐》（详下）所载各件为主；而圣武天皇遗爱御物，皆在此仓中，珍品尤多，不可胜记。

入门第一触余目者，即"前棚"（棚たな，橱架类之物，此处系玻璃陈列柜。）内陈之"金银平文琴"、"螺钿紫檀五弦琵琶"、"螺钿紫檀阮咸"三点乐器。

琴之表面有金银平文之人物鸟兽草木花纹，背面龙池两侧作银文双龙，上下点缀花采，凤池文样相同，但易龙为凤耳。龙口下有铭，即用后汉李尤[1]琴铭，所谓"琴之在音，荡涤邪心。虽有正性，其感亦深。存雅却郑，浮侈是禁。条畅和正，乐而不淫"者是也。腹内并题："清琴作兮□日月，幽人间兮□□□。乙亥之年季春造。"又琴之两端两侧，亦有金文鸾凤麒麟，间以银文云鸟花蝶，金银交辉，甚形璀灿。《正仓院御物棚别目录》[2]称："据《献物帐》所载之银平文琴[3]，弘仁五年（814）十月十九日出陈，后弘仁八年（817）五月十七日，易入此琴。"弘仁八年当我唐宪宗元和十二年，此琴所题之乙亥干支，最早恐即玄宗之开元二十三年（735），最晚亦当为德宗之贞元十一年（795）也。

【1】编者按：李尤（44—126），东汉时期文学家，以铭文为主要写作文体。

【2】《正仓院御物棚别目录》，帝室博物馆编刊，系三仓所陈各御物之简要说明册，附图版六四幅。

【3】按《献物帐》原载之银平文琴，腹内题有司兵韦家造此琴字样，韦家为唐代望族，与杜家并称，此自是唐物，且为名家所造者，惜今不传。

自琴形观之，与法隆寺所藏之开元十二年（724）造琴相同；又琴之断纹为冰纹断，虽不及梅花断之古远，然奈良气候温润适宜，明人张大命《琴经》所谓："愈久则愈断"[1]之论，恐不能以之衡此琴。琴之表面，装饰人物，饶有道教色彩，上端嵌以方界内作三道士跣足盘坐树下，周饰珍禽异卉，中坐者弹阮咸，左抚琴，右饮酒，其上云山飘渺，有二道童跨凤执幡，分列左右；界外山间，亦有二控鹤童子，构图颇具洞天福地之想。按玄宗时代，道教甚盛，玄宗深信之，几等于国教尊崇。又好音乐，当时蜀人雷霄造琴精品，有收归大内者；此琴制作之精，允非凡品，惜未能明其来源也。又其装饰图样并富西域趣味，即界外树下，别有二胡装者，一饮酒一鼓琴，琴之两侧左右各有三人，亦均胡装。当时长安、洛阳两地，胡化颇盛，不意其风竟影响及于琴饰，琴本非胡乐，而带西域趣味，苟非唐人，恐无此大胆。关于此琴装饰文样，近年荷兰高罗佩博士（R. H. von Gulik）于其《三古琴考》（*On Three Antique Lutes*）[2]一文中，亦曾论及。惟谓："此琴构图颇似后世所绘之兰亭修禊图，上端方界乃佛教之极乐世界形式：中坐者为如来像或即大乘神殿（Mahayanic Pantheon）中之像设"云。又谓："观其琴铭书法为北魏体，其乙亥干支乃西元435年（北魏太延元年）或即495年（北魏太和十九年），认为唐以前大约六朝末期之作品"云云。其观察虽与余异趣，但此琴装饰构图之含有外族趣味，所见则一。至于"平文"、"平脱"两者之技巧，颇难识别，日本学者之诠释，亦言人人殊。余则取广濑都巽氏之说[3]："凡所嵌之金银片文漆后成为平面者为平脱，花纹浮出者为平文。"平文之目，虽数见于日本古记

【1】明张大命《太古正音琴经》卷六："古琴以断纹为证，琴不历五百岁不断，愈久则断愈多。断有数等，有蛇腹断……又有梅花断……此非千余载不能有也。……"

【2】高罗佩氏论文载《日本亚洲会报》（The Transactions of the Asiatic Society of Japan Second Series）第二辑第十七期(1938)。

编者按：高罗佩(1910—1967)，荷兰汉学家、外交家、翻译家，著有《狄公案》等。

【3】广濑都巽：《平文平脱の解—正仓院の研究—东洋美术特辑》。

金银平文琴

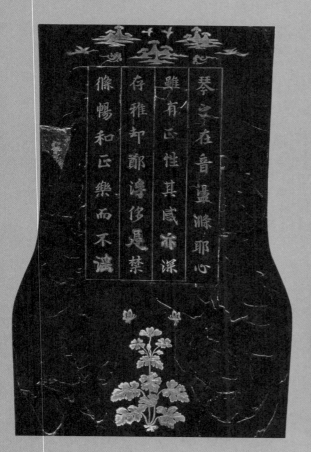

琴之在音蓋游耶心
雖有正性其感亦深
存雅却鄭淳佟是禁
像暢和正樂而不淫

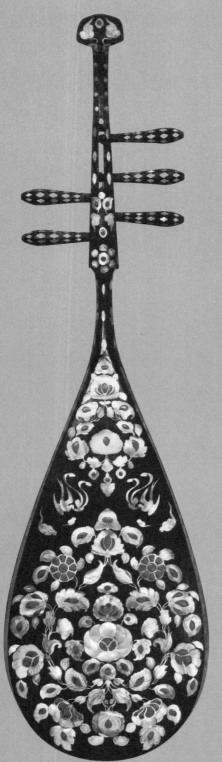

螺钿紫檀五弦琵琶 （背面）

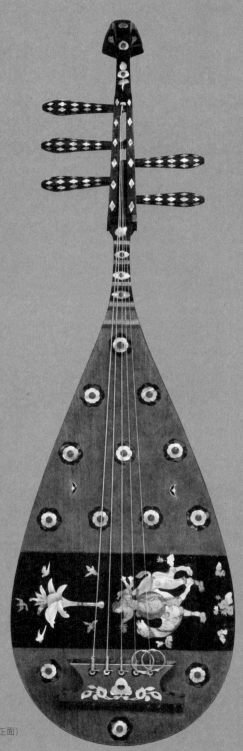

螺钿紫檀五弦琵琶 （正面）

录，[1]尚未见之吾国载记，然汉时确已有以金银隐起为龙凤人物之宝琴，见于《西京杂记》[2]，其技巧当早于平脱。高罗佩氏亦具此论，与余不谋而合。又按唐官服带饰，六品以下有金饰隐起[3]之制，惟是否髹漆是一问题也。

五弦琵琶即系五弦，形如琵琶而五柱五弦故名。紫檀木质，背之全面，有螺钿之鸟蝶花卉云形及宝相华文，花心叶心间，涂以红碧粉彩，以金线描之，其上覆以琥珀、玳瑁之属，于其浅深不同之透明中，显现彩文之美，极为瑰丽工巧。按五弦胡乐，不知造者何人，[4]起源于印度，经中央亚细亚，由龟兹国人之媒介，传入中国。[5]隋唐九部乐中，均用此器。[6]唐贞元（785—804）中，有赵璧者，最擅斯技。[7]《元白长庆集》中，均有《五弦弹》之咏，观元氏之诗，尤足想见赵璧五弦之倾倒一世。[8]此种乐器至宋即已失传，徽宗置大晟乐府修乐时，当时即号为知乐之柳永、周邦彦辈，亦皆不知唐有五弦之器。[9]今惟日本存此一具，洵为天壤间之瑰宝！固不徒以制作技巧精美为可贵也。又日本近卫公邸世传并有古钞本《五弦谱》一卷[10]，尤为研究五弦之惟一要籍。第此古谱距今已逾千载以上，其乐复久失传，故解读尤难。关于此谱所记已佚曲名，羽塚启明氏，曾有一文考之。[11]最近林谦三氏努力探讨之结果，此谱亦完全解读可能，复将《王昭君》、《秦王破阵乐》等七曲，译为五线谱，[12]可谓惊人创获，裨益乐学，洵非浅鲜。琵琶本有捍拨（在琴琶面上，当弦，所以捍护其拨者。今琵琶无之）而五弦亦如之，此具捍拨，满覆玳瑁，上有螺钿骑驼人物，胡

【1】详见广濑都巽氏前记论文。

【2】《西京杂记》卷五："赵后有宝琴曰凤凰，皆以金银隐起为龙凤古贤列女之象。"（程刻《汉魏丛书本》）

【3】《新唐书》二四《舆服志》："梁带之制，三品以上玉梁宝钿，五品以上金梁宝钿，六品以下金饰隐起而已。"（五局刻本）

【4】《太平御览》五八四引《音律图》："五弦不知谁所造，今世有之，比琵琶稍小，盖此（当作北）国所出也。"（嘉庆刊本）

【5】见林谦三：《国宝五弦とその解读の端绪》，《日本音响学会志》第二辑，页21。（1940）

【6】见《隋书》十《音乐志》，按九部乐除康国外均有五弦。

【7】唐段安节《乐府杂录》："贞元中，有赵璧者，妙于此技也。……近有冯季皋。"（《守山阁丛书》本）

【8】元稹《长庆集》卷二四，乐府《五弦弹》："赵璧五弦弹徵调，微声嵘绝何清峭。……众乐虽同第一部，德宗皇帝常偏召。旬休节假暂归来，一声狂杀长安少。主第侯家最难见，摇歌按曲皆承诏。……"（《四部丛刊》本）白居易《长庆集》卷四，《五弦弹》，恶郑声之变雅也。（同前）

【9】清凌廷堪《燕乐考原》卷一总论："……此器至宋已失传，徽宗置大晟乐府，命补徵调，当时如柳永，周邦彦辈，皆号为知乐，乃不知唐人之有五弦之器，但借琵琶之宫调为之，致伶工有落韵之讥，殊可笑也。"（《校礼堂全集》本）

【10】此谱今藏近卫公家阳明文库（京都帝国大学图书馆保管），外题《五弦琴谱》，尾有承和九年(842)三月十九日写"字样，但卷中本文则为奈良朝之写经体，且题作《五弦》，则知外题四字及尾书年月，俱系后添之笔。卷首有目次，共收《平调》、《大食调》等五调，《王昭君》、《何满子》等二十二曲。
编者按：近卫文麿（1891—1945），曾三次出任日本首相，近卫家第29代，昭和十三年(1938)设立阳明文库，保留重要宫廷艺术珍宝。

【11】羽塚启明：《近卫家藏五弦谱管见》，《东洋音乐研究》第一卷第一号。
编者按：羽塚启明，20世纪上半叶研究中国古代雅乐颇有成就的日本学者。

【12】林谦三氏论文目见注【5】。

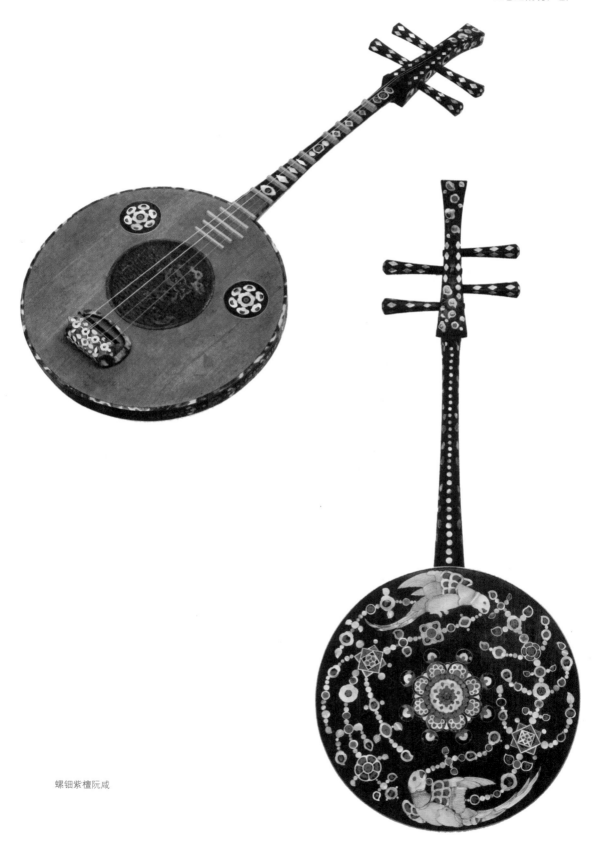

螺钿紫檀阮咸

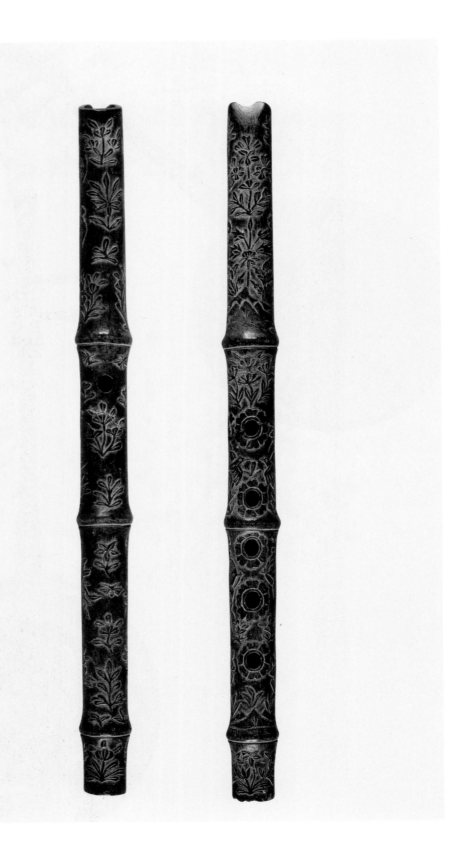

雕石尺八

雕石横笛

银平脱合子

装，一手执拨，一手按琵琶，西域趣味，甚形浓厚。以外表面全身，亦有螺钿图案花纹，点缀其间，技巧与背部同。

阮咸修颈圆身，四弦十四柱，亦紫檀螺钿者。背面有螺钿并玳瑁、琥珀缀成一双鹦鹉衔珠之形，制作技巧，与五弦同一工丽。捍拨绿地，以蜜陀僧（用油沸后，即酸化铅以之调色作画。）彩绘四女花下团坐之图[1]，中一女郎即弹此式之阮咸。此器相传创自阮咸故名[2]，今之阮咸即其遗制。其形颇似斯坦因（Aurel Stien）在喀喇和卓附近阿斯他那（Astana）古墓中所获开元二年（714）《桃花仕女游春图》[3]中一人所弹之阮咸，及前述金银平文琴上道士所弹者，为式亦正同，均可证此式之古。据林谦三氏所考：此具之柱制（四相十品）与中国近代琵琶，几乎一致。倘以今日琵琶之第十四柱移于第十二第十三之间，则与古阮咸柱制密合。[4]盖今日中国通行之琵琶，已非隋唐胡乐所使用之琵琶（详下）。清番部乐中有月琴，即仿古之阮咸，然四弦而十七柱。[5]今以院藏此具相较，可知仍不合古制，是阮咸中国亦已不传。依林氏之说[6]，则古阮咸之柱制的应用已为近代之琵琶所袭取，阮咸之不传，恐即此故。院藏之阮咸，盖亦稀世之珍矣。

此外又有"雕石横笛"，凡六孔，长日本尺一尺二寸二分五厘[7]，较今日中国通行者为短，近乎日本雅乐所用之笛。"雕石尺八"，形如今之单管箫而五孔，长日本尺一尺一寸九分[8]。按尺八一物，乃唐吕才所创[9]，今中国久已不传，而日本则为通行乐器之一种。日本学者颇有以此物原非中国固有之乐器者，尺八一称乃汉语中之外来语。即如田边尚雄氏则谓此物始自埃及之纵笛

【1】此图已黝黑难辨，东大寺图书馆藏有天保（1830—1843）摹本，《正仓院御物图录》第一辑第五一图亦收之。

【2】《旧唐书》二九《音乐志》："阮咸亦奏琵琶也，而项长过于今制，列有十三柱。武太后时，蜀人蒯明于古墓中得之。晋竹林七贤图，阮咸所弹与此类，因谓之阮咸。"（五局刻本）《太平广记》二〇三引《国史纂异》："元行冲宾客为太常少卿时，有人于古墓中得铜物，似琵琶而身正圆，莫有识者，元识之曰：'此阮咸所造乐也。'乃令匠人改以木，为声清雅，今呼为阮咸者是也。"（嘉靖谈刻本）

【3】见Aurel Stien: Innermast Asia vol.Ⅲ

【4】见林谦三：《隋唐燕乐调研究》，附论七，《正仓院阮咸及近代中国琵琶之柱制比较》。

【5】见《清会典图》卷三五，乐器。

【6】林谦三：《正仓院阮咸及近代中国琵琶之柱制比较》："近代中国的琵琶，据我看来，大约是于胡琵琶之身体上应用了秦汉子（十二柱）或阮咸而成的，不会是唐代以来的制度。"

【7】长度据田边尚雄《正仓院乐器の调查报告》，《帝室博物馆学报》第二册。（1921）

【8】同前。

【9】《旧唐书》七九《吕才传》："才能为尺十二枚，尺八长短不同，各应律管，无不谐韵。"

（Sebi）[1]。近年佐伯好郎氏则以为尺八乃罗马时代之胫骨笛（Tibia），经小亚细亚、西域传至中国，在江南以酷似胫骨形之竹材制作而成者[2]。一为埃及之Sebi，一为拉丁语之Tibia，均近汉音之尺八，颇可注意。院藏此物，管细而长，不似今日本所用尺八之粗重[3]，盖犹具唐代之原型。以上二点，吹孔俱周以花纹，全管浮雕蝶鸟花草，横笛并刻有竹节，俨如竹笛。

前述之琴旁，尚陈贮弦之"银平脱合子"一，内置残弦。按"平脱"本唐代盛行之工艺美术，玄宗及太真所遗安禄山金银平脱器物最多。玄宗赐者有"金银平脱隔馄饨盘"、"金平脱犀头匙箸"、"金平脱大脑盘"、"银平脱五斗淘饭魁"等。太真赐者有"金平脱装具玉合"、"金平脱铁面碗"、"平脱锁子"等。而禄山所献器物中，亦有"银平脱胡床子"二具，以上诸目，具见唐段成式《酉阳杂俎》卷一，姚汝能《安禄山事迹》，宋乐史《杨太真外传》中，恕不详举。平脱技法，系剪金银薄片为种种文样，以胶漆粘于器上，再髹漆数重，然后细磨之，于平面漆上，脱露出其文样后遂成，故名平脱。尚有于金银薄片上，更镂以极细花纹者——日本谓之"毛雕"——尤称工细。此具圆形，盖上有银平脱之衔花六小鸟，中为花叶之形；盒之周侧，亦有花鸟相间之平脱装饰，颇为秀丽。观《酉阳杂俎》三书所记平脱诸器，可知斯物在玄宗时代必为一种穷极侈丽之品；故安史乱后，肃宗至德二年（757），代宗大历七年（772）先后均有禁造平脱等物之举。[4]经此两度禁令，平脱技法遂绝，今平脱器物，传世之鲜，殆以此故。院藏金银平脱诸品，颇有数种，除日本仿制者外，恐均为玄宗时代传来之物，圣武天皇七七忌辰，

【1】详见田边尚雄：《日本を中心として見た东洋音乐の变迁に就て》，《中央史坛》第十二卷第一号。(1926)
编者按：田边尚雄（1883—1984），武藏野音乐大学名誉教授，东洋音乐学会名誉会长，致力于介绍和普及日本国内外音乐。
【2】佐伯好郎：《汉字に隐れたる外国语の问题》，《东方学报》（东京）第六册。(1936)
编者按：佐伯好郎，日本东方基督教史专家。
【3】注[1]田边氏同文："……尺八自足利时代(1336—1561)之末战国时代之际为虚无僧及浪人所盛使用，一则为强壮的男性之音，一则又可为护身之具，故以粗根坚厚竹管制之，遂成如今粗重之物。"
【4】《唐书》六《肃宗纪》："至德二载(757)十二月丙午，禁珠玉宝钿平脱金泥刺绣。"（五局刻本）旧唐书十《代宗纪》："七年(772)六月，诏诫薄葬，不得造假花果及手当系平字之诡脱宝钿等物。"（同前）

金薄押新罗琴

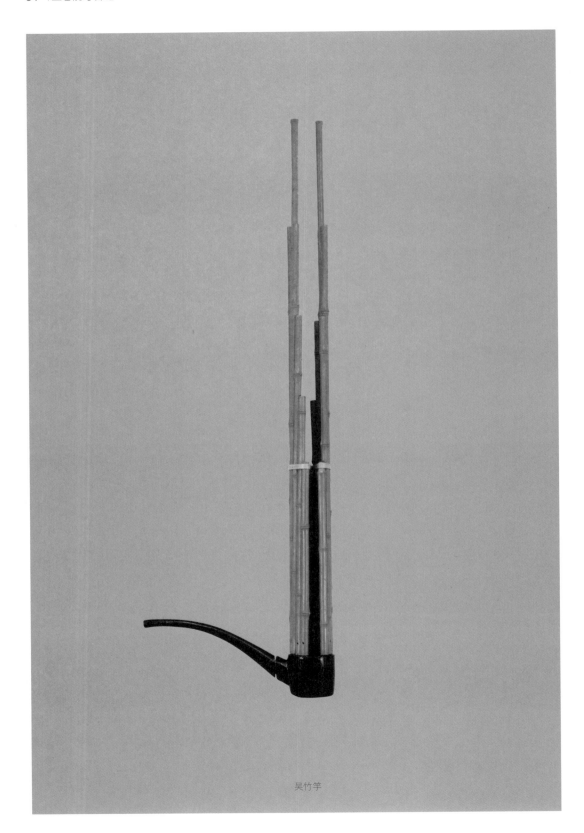

吴竹笋

宝物献纳之时，正当初次禁造平脱之前一岁也。近年河南出土古镜，偶有平脱者出现，惜多残蚀缺损，余曾于日本嘉纳氏[1]白鹤美术馆见有新出土者，即具此缺点，以视院藏诸品之完整无损，精美绝伦，不可同日而语矣。

次观"中棚"，内陈"金泥绘新罗琴"、"金薄押新罗琴"两点，俱十二弦。其金泥者惜已剥落不堪。惟后一琴之花纹，系以金薄嵌入成者，故尚具残文，然亦黝黑不可辨视。若据弘仁二年（811）《杂物出入帐》所云："表图木形金泥画，以金薄押远山及云鸟花草等形，罚（即拨字）面画日像。"[2]则千年前之辉煌炫丽可知。按以金泥文饰器物，亦李唐工艺美术之一，肃宗至德二年（757）曾与平脱同禁造者（参阅第37页注4）。其技盖已传于新罗，乃应用于琴之文饰也。

又有"吴竹笙"、"吴竹竽"均十七管。笙全长四九厘，竽长九七厘。笙与今式同，惟吹嘴簧管则较长，其工管长日本尺一尺三寸九分五厘。竽为笙类乐器，《韩非子》所云南郭处士滥竽故事，乃世所周知之乐器，第今不传，未有见其实物者。管视笙尤长，其工管长至日本尺二尺九寸七分四厘[3]。所谓"吴竹"（くれたけ）者，相传昔时自吴地移植而来，盖指中国华南所产之竹以别于日本所产者而言。日本原无此二种乐器，当来自唐土者。

又"螺钿琵琶"及"红牙拨镂拨"二点，亦陈此棚内。琵琶四弦四柱，紫檀为槽，捍拨已佚，背面饰以螺钿玳瑁飞鸟花纹，左右配以迦陵频伽（《翻译名义集》：此云妙声鸟。），雅丽非凡。孟浩然《凉州词》所谓："浑成紫檀金屑文，作得琵琶声入云。"[4]又张

【1】编者按：嘉纳治兵卫（1862—1951），号鹤翁，日本白鹤美术馆创办人，现有藏品1300件，主要为中国商周青铜器、唐镜、宋瓷等。

【2】《正仓院御物棚别目录》页49引。

【3】两点长度据《正仓院御物图录》第一辑，第十图。

【4】《孟浩然集》卷四（《四部丛刊》本）。

红牙拨镂拨

籍《宫词》："黄金捍拨紫檀槽，弦索初张调更高。"[1]
盖琵琶以紫檀为槽，于音调上有莫大关系；其施以金屑
文或螺钿文，殆均唐代一时之风尚，而杨太真所用之逻
逤檀琵琶[2]，亦可据此想见其文饰之美。此具四弦四
柱，乃纯西域式的琵琶[3]。隋唐胡乐中如天竺、龟兹、
疏勒，盖均使用之，固非今日吾国所用之十四柱的琵琶
也。惟日本雅乐所用之琵琶，四弦四柱，尚与此同制，
其演奏之乐曲，亦多自唐传来者。林谦三氏尝据此唐制
琵琶以证凌廷堪之一弦七调说与陈澧之一弦一均七调说
之非，[4]可为隋唐燕乐调之研究，辟一新境界。又院
藏古文书中，曾有人整理发见《天平琵琶谱》一叶，乃
天平十九年（747）七月二十七日，当时《写经料纸纳
受帐》残简纸背所书者[5]，仅录《黄钟番假崇》一〇
曲。林谦三，平出久雄二氏，嗣据《燉煌琵琶谱》[6]
及《三五要录》[7]相互研究结果，因知此谱宫谱，与今
日本雅乐所用之琵琶，完全同型。惟当时之调弦法未明
记，故尚难证其与现行琵琶之手法是否相同；第日本现
行之宫谱，则未有若何之更易，今已证明矣[8]。唐制
四柱琵琶，既仅存于日本；宫谱又纯为唐法，是故居今
日欲考隋唐燕乐调者，非于日本求之不为功。弹者向皆
以木拨，贺怀智独用铁拨[9]，贞观（627—649）中，
裴洛儿始废拨用手，谓之"搊琵琶"[10]。今中国皆以
手弹之，惟日本仍用拨，盖犹沿古法。此具象牙质，表
施"拨镂"技法。所谓"拨镂"者，亦唐代工艺美术之
一，系以象牙染成红绿诸色，表面镂以花纹，所染诸
色，层层现出，或更有于上再傅他色者，尤形纤丽工
巧。唐中尚署即掌进此种镂牙物品（详下）。此具红牙
上镂白纹祥禽瑞兽，复点缀青绿两色，允称精品。斯种

【1】张籍《宫词》见《全唐诗》第
六函。

【2】唐郑处诲《明皇杂录》："天宝
中，中官白秀真自蜀使回，得琵琶
以献。其槽以逻逤檀为之，温润如
玉，光辉可鉴。有金镂红文，蹙成双
凤。贵妃每抱是琵琶奏于梨园，音韵
凄清，飘出云外。……"（《守山阁丛
书》本）

【3】可参看（1）王光祈《中国音乐史》
上册，页110以下。（2）林谦三《隋唐燕
乐调之研究》页109以下。（3）岸边成雄
《琵琶の渊源》（《考古学杂志》第27
年一〇卷一二号）。（4）同氏《欧米人の
琵琶西域起源说とその批评》（《月刊乐
谱》第二五卷第一〇号）

【4】详见林谦三《隋唐燕乐调之研
究》第八章及附论七、八。

【5】今收载于《大日本古文书续续
修》第三十七帙七。

【6】此谱系伯希和（P. Pelliot）在敦
煌发见者，今藏法国国家图书馆，共
25曲。

【7】《三五要录》，藤原贞敏之孙师
长所撰，为日本研究中国琵琶之古
籍。

【8】详见林谦三、平出久雄合撰之
《琵琶古谱の研究》（《月刊乐谱》第
二七卷第一号，1938）。

【9】唐段安节《乐府杂录》："开元
中，有贺怀智，其乐器以石为槽，以
鹍鸡筋作弦，用铁拨弹之。"

【10】唐刘𫗧《隋唐嘉话》："贞观
中，弹琵琶裴洛儿始废拨用手，今俗
谓搊琵琶是也。"（《续百川学海》本）

技巧，曾传于天平时代，惜后世亦绝焉！

　　"中棚"之后即"西棚"，又"南棚"所陈泰半为药品。"西棚"有"犀角"、"寒水石"、"毕拨"、"太一禹余粮"[1]、"龙骨"、"龙角"、"雷丸"、"巴豆"、"厚朴"、"远志"、"芫花"、"人参"、"大黄"、"芒硝"、"甘草"、"雄黄"、"木香"、"丁香"、"麝香皮"等。"南棚"有"没食子"、"乌药"、"沉香"、"竹节人参"、"丹"等。以上诸品多系圣武天皇崩后，天平胜宝八年（756）六月二十一日，光明皇后奉献卢舍那佛者。别有《献物帐》一卷，今存北仓上。又据法隆寺方丈佐伯定胤法师言："入奈良朝（645—781），圣武天皇继续实现圣德太子之理想，复兴施疗、施药二院，在彼使用之药材，至今尚残存于正仓院中。"[2]按《棚别目录》所载，"西棚"内之二十六种为《献物帐》所载残存之品，以外尚有二十二种，不见于《献物帐》者，"南棚"之品亦然。余意此种未载之品，或即施药院所遗药材也。以上诸品，均系汉药，"西棚"尤多贵重者，如犀角、厚朴、人参、麝香之类，当为当时遣唐使持归，奉献于皇室者，故自多珍品。奈良朝之医学，受唐影响，甚为发达，当时之"医道"与"明经道"、"纪传道"、"明法道"等同列，可见"医道"是时在学术上之重要也。

　　转而至"北棚"，第一触余眼帘者为"鸟毛立女屏风"，凡六曲，每年仅陈一二曲，各描树下一唐装美人，或立或坐，姿态不同，面貌如一。世传美人衣上及点景树石，原粘有鸟毛，今皆剥落（仅一扇于袖间尚存少许），惟遗墨画美人及树石而已。两式余均曾寓目，所画美人，颐丰体硕，俨如周昉所绘之仕女图。翠钿眉间靥上[3]，胭脂红润双颊，尤形浓艳之致。所谓"翠

【1】禹余粮为褐铁矿上胶附之一种圆石片或沙粒，相传为大禹战胜所弃余粮，化而为石故名。《抱朴子》所谓："禹余粮，非米也"者是也。

【2】昭和十年（1935）十一月，佐伯法师在大阪水曜医学会之讲演"佛教と药疗"。

【3】敦煌发见之佛画中，其下所绘之供养妇女，面上所施之花钿，多作朱色，式样亦多而复杂。如《父母恩重经变相图》（绢本画帐，伦敦布列颠博物馆藏）女之眉间钿四而红颊上作鸟形各一。《地藏六道图》（绢本，巴黎Guimet博物馆藏）女颊上之朱钿共有十二个之多。惟勒柯克（Le Coq）在新疆发见之《贵女图》（Chotscho）额上之花钿则为绿色。鸟毛美人双眉间有绿色小点作∴形，最为简单。其靥上左右各点一的，亦作绿色。

"钿"者，吾人恒于唐五代诗词中见之，如温庭筠《献淮南王李仆射》诗："歌愁敛翠钿"[1]，及《菩萨蛮》："眉间翠钿深"[2]，又顾敻《虞美人》："翠庶眉心小"，《甘州子》："翠钿镇眉心"[3]诸句，不观此画美人面部所施之翠点不能领略温、顾二人所写当时仕女翠钿化妆之美也。至其风格，丰容低髻，其髻盖如温飞卿《南歌子》所谓"髻堕低梳髻"[4]者是也，与斯坦因所获开元二年（714）《桃花仕女游春》及《棕树美人》两图之妇女颇相类。其丰颐红妆（颊施红粉，唇点口脂，总称"红妆"，唐人诗中常见之。），如元稹《离思》所云"须臾日射胭脂颊，一朵红酥旋欲融"[5]者，颇能状其艳丽。此与京都帝国大学考古学研究室所藏河南出土之唐女俑及东京细川护立[6]侯所藏唐三彩女俑，其丰姿丽态均同；并足为考唐代妇女流行化妆服饰之一绝妙资料。至于此图美人之服饰姿态以及树下人物的含义，日本学者早有专文论及[7]，恕不再赘。余惟取其面部化妆之可释唐人诗词者，略作一印证而已。此具向皆认为唐之将来品，往年修理其中某扇时，发现天平胜宝四年（752）古记录[8]一件，世因亦有主张乃日本国内制品[9]与夫唐之工匠在日本所作[10]者。余则注意文中之"正六位下行□□秦伊美□次"数字，所谓秦某某者，恐为当时大和飞鸟（今奈良地方）地方居住之归化唐人，疑制此屏风时，曾为技术的指导者或竟参与工作也。余又以为此鸟毛美人乃仿唐中宗安乐公主所创"毛裙"[11]的趣味而成，当时"毛裙"大为风行，山林鸟兽，网罗杀获无数。[12]渡海来东之工师或取其时代流行的趣味，施之于美人屏风衣上；甚至广其意匠，又有"鸟毛帖成文书屏风"，"鸟毛篆书屏风"之作（详

【1】《温庭筠诗集》卷六，《感旧陈情五十韵献淮南李仆射》。

【2】《花间集》卷二。

【3】《花间集》卷六。

【4】《花间集》卷一（以上俱《四部丛刊》本）。

【5】元稹《离思》五首之一，见《全唐诗》第六函。

【6】编者按：细川护立，细川护立侯爵（1883—1970），日本肥后熊本旧藩主细川家第16代，贵族院议员，以收藏艺术品著称，创立永青文库。

【7】关于此三项论文，其主要者如下：原田淑人：《天平时代に于ける官廷の服饰》，《天平の文化》页425—452。滨田耕作：《唐代女像之一型式》—《佛教美术》创刊号页2—8。泽村专太郎：《中央亚细亚出土の唐朝风俗画》，《东洋美术史の研究》页328。春山武松：《树下美人论》，《正仓院の研究》页65—85（《东洋美术特辑》）。

【8】《正仓院御物图录》第二辑第四二图说明言曾发见有此记录："仓物黄金，价丝一百斤，天平胜宝四年六月二十六日，从□□上行少□吏丹比连，正六位下行□□秦伊美□次，正六位上行家令大田臣广人。"

【9】沟口祯次郎：《正仓院御物中の绘画につきて》，《正仓院史论》第一部门页11，《宁乐》第一二号。

【10】春山武松：《树下美人论》，《正仓院の研究》页七一。

【11】《唐书》一七《五行志》："中宗女安乐公主有尚方织成毛裙，合百鸟毛，正视为一色，异看为一色，日中为一色，影中为一色，而百鸟之状并见。……自安乐公主作鸟裙，百官之家多效之，江岭奇禽异兽毛羽，采之殆尽。"（五局刻本）

【12】张鹭《朝野金载》卷三："安乐公主造百鸟毛裙以后，百官百姓家效之，山林奇禽异兽，搜山满谷，扫地无遗，至于网罗杀获无数。……"（《宝颜堂秘笈》本）

鸟毛立女屏风

橡地象羊木臈缬屏风

下）。史册仅见"毛裙"之记载，其他无征。今以此点观之或亦可证其制于此欤？次有"山水夹缬屏风"，"夹缬"一作"夹颉"，为盛唐流行之一种染色工艺。法以二板镂同样图案花纹，夹帛染之，并可施以二三重染色，染毕解板，花纹相对，左右均整，色彩宜人。原田淑人博士考此，据《唐语林》言：玄宗时柳婕妤之妹创此，始秘终传。[1] 实则隋大业（605—616）中，炀帝已有"五色夹缬花罗裙"[2] 之制，当时流布臣间，必为不少。柳婕妤之妹恐系悟得其技巧，因以传世耳。开元九年（721）安禄山献俘入京，玄宗亦有"夹颉罗顶额织成锦帘"之赐[3]，其为流行珍品可知。尚有"鹿草木夹缬屏风"、"鸟木石夹缬屏风"各一曲。斯种技巧，直至明代犹盛，有檀缬、蜀缬、锦缬诸目。[4] 今北方乡人尚存其法，偶于北京街头见有匠人夹布印染者，然文样简陋，色彩俗恶，逊昔已不啻天壤！日本染织品中，有"板缔"（いたじめ）一种，即其遗法，精美多矣。

又有"臈缬屏风"四曲，各图麟象熊鹿鹰雉等形象，栖止于树石之间。所谓"臈缬"，系以蜜蜡于布上描成文样，浸染料中，及蜡脱落，留其文样，再蒸而精制之乃成。更有施二三重染者，尤形丽巧。"橡地象羊木臈缬屏风"二曲中之右一扇以羊为主者，褐色绝地，羊及树叶小草俱为白色及绿色，树干上更点缀二白猿，益增趣致。臈缬之法，恐亦为唐代工艺美术，前述之五弦琵琶，据《东大寺献物帐》，原纳于"浅绿臈缬里紫绫袋"中，恐系同时自唐将来之物。又以上夹缬、臈缬两种屏风，其构图及题材，多属中国产物与波斯作风，观之不似日本制者；但其技巧，天平时代（724—781）确已传来，模仿制作成功。今院藏未陈列之十二柜古锦绫残

【1】原田淑人讲，钱稻孙译：《从考古学上观察中日古文化之关系》页40（《泉寿译丛》本）。

附《唐语林》卷四："玄宗柳婕妤，有才学，上甚重之。婕妤妹适赵氏，性巧慧，因使工镂板为杂花象之，而为夹结。因婕妤生日献王皇后一匹，上见而赏之，因敕宫中依样制之。当时秘密，后出遍于天下。"

【2】马缟《中华古今注》卷中："隋大业中，炀帝制五色夹缬花罗裙，以赐宫人及百僚母妻。"（《古今逸史》本）

【3】见姚汝能《安禄山事迹》卷上（《学海类编》本）。

【4】《碎金》彩色篇第二十，夹缬条。（故宫影明刊本）

片中，其施以夹缬、臈缬染色法者，尤多不可胜记。[1] 姑举一二例，如天平胜宝六年（754）东大寺某佛坛所用之幡，其垂脚即有绝质臈缬与罗质夹缬者两种，今存断片多枚。臈缬染色，为用较宏，是时并有应用于衣料上者；今存绝质臈缬残阙衣服二片。又天平胜宝四年（752）大佛开眼法会时，乐舞中唐散乐《浑脱》所用之舞衣，亦用绝质臈缬者，残片犹存。[2] 俱为当时已有此二种染法之证。院藏此种古锦绫断片，昭和七年（1932）曾于奈良帝室博物馆展览数日，时余方来此，未及往观，至今引为憾事。

"北棚"后部，全陈屏风，所见如上，其下则有"木画紫檀棋局"、"木画紫檀双六局"等。"木画"亦唐代美术工艺，中尚署每年二月二日，即进木画紫檀尺[3]。法以紫檀或桑木为地，杂嵌染色象牙、黄杨木、鹿角等，巧现人物鸟兽花草及各种图案，穷极瑰丽，或尤胜于螺钿。二局之盘、架皆以紫檀为之，棋局表面嵌以象牙罫线，纵横各十九道，又有木画花眼四十七个。边侧四面各界四格，中现染色象牙（分浅红、浅绿、浅黄诸色）浮雕之雉雁狮象驼鹿及胡人骑射、牵驼诸形象。对局之两侧，附备金环抽屉各一，中设机关，一方启闭，他方亦如之内有木雕鳖形龟形各一，背容棋子，颇形巧妙。盘架槃柱亦有浮雕之雁鹿，与边侧所现者同。观此棋局所现浮雕人物，具见唐人之酷嗜西域的趣味。外附"金银龟甲龛"，乃原贮棋局之箱也；全器为龟甲纹，以玳瑁制成。外有"银平脱合子"四，一嵌象形，余作小鸟衔花文样，分贮"红牙绀牙拨镂棋子"计二百五十二枚。又有"白石棋子"百四十五枚，"黑石棋子"百十九枚[4]。拨镂棋子，牙质，分红蓝二色，上

【1】详见奈良帝室博物馆编，《正仓院御物古裂展观目录》。

【2】同上《展观目录》页12—21。

【3】见《唐六典》卷二二（日本近卫公邸刻本）。

【4】棋子数目据《正仓院御物棚别目录》。

左图: 鹿草木夹缬屏风

右图: 鸟木石夹缬屏风

镂瑞鸟衔花文样，盖棋子中之最精美者也。《献物帐》称：此局乃百济王义慈进于内大臣镰足者。其来源如此。唐代棋局之制，今世不甚明悉，明胡应麟尝据唐人咏棋"十九条平路"之句，疑唐局为十九道[1]，今得观此局之罫线，可证唐制确为十九道；而柳子厚十八道之言，为用恐不普遍也。双陆古博戏，始于西印度，流衍曹魏，盛于六朝隋唐之间[2]，宋以后渐衰亡，至今其法殆绝。日本传来颇早，有梁武帝天监中（502—519）传来之说[3]，虽难确据，但隋唐时代必已传入，故持统三年（689）有禁绝之令也。[4]自是亦渐衰歇，古法浸失，至今娴斯戏者甚鲜。仅悉京都宝镜寺"门迹"（もんぜき，乃亲王出家之寺院）某老尼，尚知其法。往岁钱稻孙先生来此，曾往求之。此局长方形，盘紫檀质，表之东西两边，中有月牙形之"门"各一，左右列十二花眼——即所谓之"梁"——乃路数；南北各有一花眼，均以象牙嵌成。盘架今为黄羊木质，上有木画花鸟文样，据《棚别目录》云，乃后之修补者。观此局之格制，与明代所传图式相同[5]；但所用之"马"绝殊。北仓上所陈尚有"双六头"、"杂玉双六子"，尤为考双陆者之重要资料，余别有蠡见，统于下文述之。

左侧"隅棚"内陈"鸟毛帖成文书屏风"、"鸟毛篆书屏风"二点，俱于纸背上，以鸟毛帖成文字，其技法如前述之"鸟毛立女屏风"。其篆书者，文旁并附以彩色楷书，二屏所书文句，皆系治国箴言。唐太宗曾取群臣疏列于屏障[6]，此屏乃圣武天皇御物，盖亦取太宗列屏帝鉴之意。以外尚有屏风袋三，余无他品。

【1】明胡应麟《少室山房笔丛》卷四〇《庄岳委谈》上："今围棋十九行，三百六十一路，子亦如之，宋世同此。……唐柳子厚记石棋局，自然成纹，十有八道可弈。然唐诗咏棋有'十九条平路'之句，则唐制固应十九道，其十八道者，或棋局稍异，闲为之耳。……"（《广雅书局丛书》本）

【2】见宋洪遵《谱双序》（顺治刊《说郛》本）。

【3】《本朝世事谈绮》卷三双六条云："梁武帝天监中渡来日本事，当于本朝武烈帝。"

【4】《日本书纪》，《持统纪》："三年十二月丙辰，禁断双六。"

【5】见《人瑞堂订补全书备考》卷九樗蒲门（明刊本）。

【6】《玉海》九一："《魏徵传》：贞观十九年五月甲寅，诏五品以上上封事，上疏极言不克终十渐疏奏。帝曰：朕今闻过矣，方以所上疏，列为屏幛，庶朝夕见之，兼录付史馆。"（浙江书局本）

上图: 木画紫檀棋局

下图: 木画紫檀双六局

鸟毛贴成文书屏风

鸟毛篆书屏风

北仓上

　　转而登北仓之上部，先观"北棚"，内陈多关正仓院宝物各种文献记录，如"天平胜宝八岁六月二十一日献物帐"二卷，标题为"东大寺献物帐"。一卷内题"奉为太上天皇舍国家珍宝等入东大寺愿文"，此为院藏宝物最古之文献记录，亦名"国家珍宝帐"。愿文系光明皇后御制，宛然六朝，读之令人肃然起敬。又一卷内题"奉卢舍那佛种种药"——一名"种种药帐"——即前记各种药品之献纳记录。又"天平胜宝八岁七月二十六日献物帐"，题亦为"东大寺献物帐"，次文所记之"绣线鞋"、"漆胡瓶"，即载此帐。"天平宝字二年六月一日献物帐"，亦称"大小王真迹帐"，盖此帐原载有二王（羲之父子）真迹书卷故名，惜今不存，不禁向往系之。"天平宝字二年十月一日献物帐"，一称"藤原公真迹屏风帐"，此屏风今亦不存。以上《献物帐》五卷，均天平时代（724—781）最重要之记录，每岁易展一卷陈列。入平安时代（782—897）则有"延历六年六月廿六日曝晾使解"、"延历十二年六月十一日曝晾使解"、"弘仁二年九月廿五日勘物使解"、"齐衡三年六月廿五日杂财物实录"，以上四卷则为平安时代（782—897）有司从事曝晾或点查之记录。合前四卷《献物帐》观之，可考三仓品物移动之一般。此外尚有天平、延历、弘仁各时代宝物之记录与文书数点，兹不具载。御书凡三卷计（一）"杂集"一卷，圣武天皇御笔，内书六朝、隋唐人集中关于

东大寺献物帐卷首

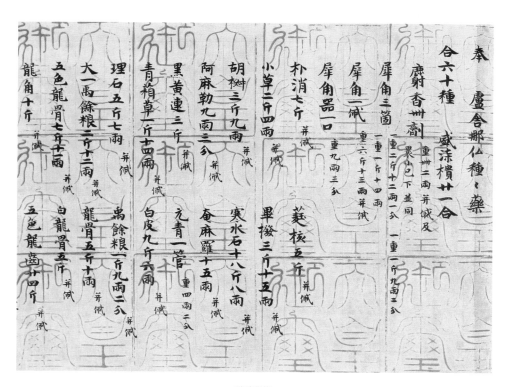

种种药帐

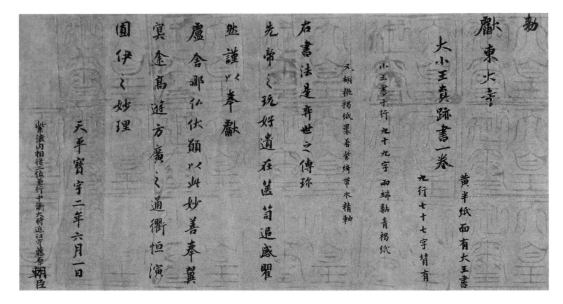

大小王真迹帐

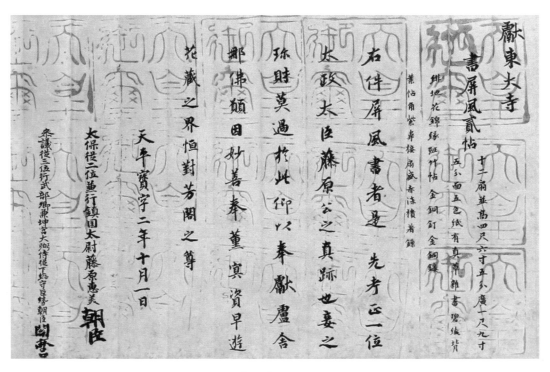

藤原公真迹屏风帐

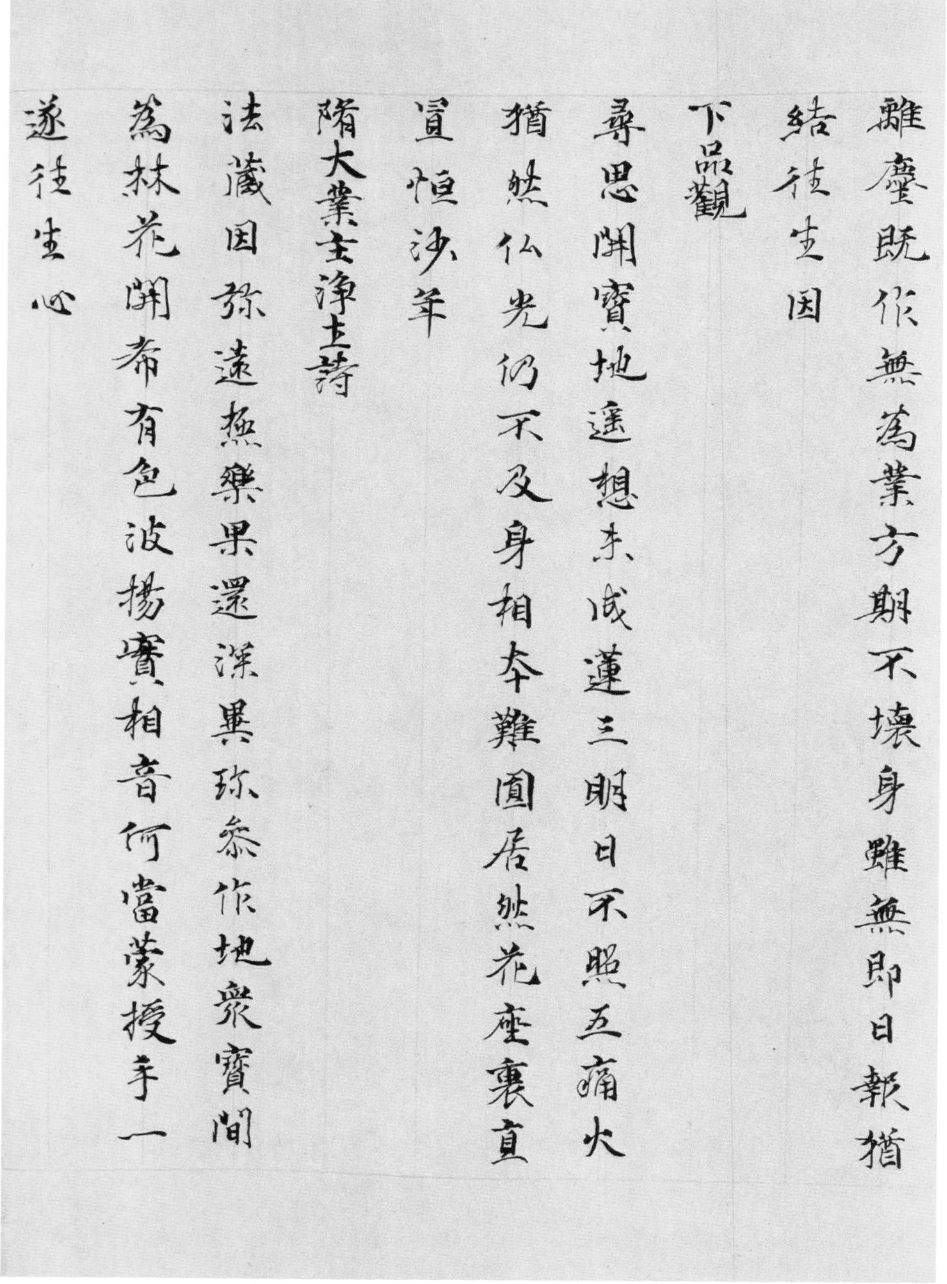

離塵既作無為業方期不壞身難無即日報猶

結徒生因

下品觀

尋思開寶地遙想未成蓮三明日不照五痛火

猶然仏光仍不及身相本難圓居然花座裏真

宜恒沙年

隋大業主淨土詩

法藏因弥遠熱藥果還深異珎祭作地衆寶間

為林花開希有色波揚寶相音何當蒙授手一

遂往生心

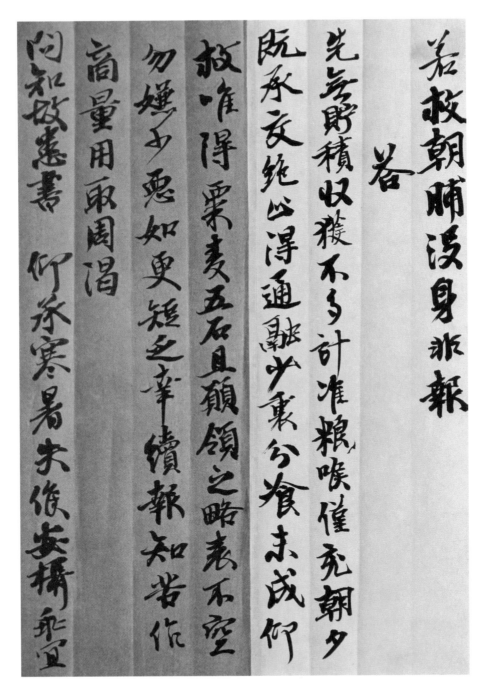

若救朝脯没身非报

答

先无野积收获不多计准粮喉僅充朝夕

既承交絶必得通融少裹分食未成仰

救唯得栗麦五石且顧領之略表不空

勿嫌少恶如更短乏辛續報知岂作

商量用取周満

問知故遠書 仰承寒暑未候安摂乗宜

杜家立成杂书要略

乐毅论

樂毅論　夏侯泰初

世人以樂毅不時拔莒即墨為劣是以敘而

論之

夫求古賢之意宜以大者遠者先之必迂迴

而難通然後已焉可也今樂氏之趣或者其

未盡乎而多劣之是使前賢失指於將來

猶豈帝既大墮稱兵之義而喪濟弱之仁

虧齊之節虧廉善之風掩宏通之度業

王德之隆雖二城幾於可拔霸王之事遂其

遠矣然則燕雖兼齊其與世主何以殊其

與鄰敵何以相傾樂生豈不知拔二城之速

了我顧城拔而業乖豈不知不速之致變

顧業乖與變同由是言之樂不屠二城其

六未可量也

天平十六年十月　日

藤三娘

佛教诗文，一百四十余篇，皆吾国不传之作。[1]故内藤湖南博士曾谓[2]："御书诸诗文可补明冯惟讷《诗纪》，清御纂《全唐诗》，严可均《全宋文》，《全后周文》，《全隋文》也。"尾题"天平三年九月八日写了"，博士又云[3]："此卷为圣武天皇卅一岁御笔，于行楷中间以隶书笔意，尚有六朝遗风，虽王羲之《乐毅论》真迹，恐亦不过如此也。"谨观此卷秀劲绝伦，俨如右军，的是确论。（二）"乐毅论"一卷，光明皇后御笔临书，卷末署"天平十六年十月三日藤三娘"，后本藤原不比等三女，故自称藤三娘。此卷临书，结体端严，笔势雄健，以视《余清斋乐毅论帖》，深得右军神髓，与圣武天皇宸翰"杂集"书法之逼近晋人，同一令人可敬也。（三）"杜家立成杂书要略"一卷，亦光明皇后御笔，录往复尺牍七十二通，内容如六朝、隋唐间士夫所用之《书仪》（尺牍范本）内藤博士以为此卷乃前人未著录之书，观所冠"杜家"二字，疑即《唐志》所云之《杜有晋书仪》[4]云。以上三卷俱用白麻纸书，与敦煌发见之古写经用纸相同，"杜家立成杂书要略"尚间以五色麻纸也。至前述各种《献物帐》，虽出当时钞胥之手，然其书法，亦饶唐人气格，颇具古风。

又有"三合鞘御刀子"、"小三合水角（即水牛角）鞘御刀子"，其制恐即唐代职官所佩䩞䪐七事中之刀子。[5]三合者，一鞘贮三刀之谓，其柄有犀角者，紫檀者，沉香者，俱精巧可爱。尚有"十合鞘御刀子"，乃一鞘中含有刀六、错一、铇一、钻一之物，尤为巧妙无匹。

尺有"红牙拨镂尺"、"绿牙拨镂尺"、"白牙尺"各二。红绿色者，均镂剔牙尺，表里及两侧，皆有拨镂文样，不画分寸，以刻文自别。红牙尺甲，表上漫界，镌

【1】据内藤虎次郎《圣武天皇宸翰杂集》（《支那学》第二卷第三号）所述，除最初二首，作者不明，以外计有：（一）王居士诗三十八首。（二）隋大业主诗三十二首。（三）真观法师颂一首，诗五首，赞二首，奉请文一首。（四）《释灵实赞》十三首，察文二首，杂文十五首。（五）《周赵王碑文》一，杂文一，序五。（六）《释僧亮观行内杂诗》九首，铭一，诗十七首。

【2】语见前注《圣武天皇宸翰杂集》。

编者按：内藤湖南（1866—1934），本名虎次郎，号湖南，日本京都学派创始人，著名汉学家。

【3】见内藤虎次郎《正仓院の书道——正仓院の研究》。

【4】详见内藤虎次郎《正仓院尊藏二旧钞本に就きて》，《支那学》第三卷第一号。

【5】《玉海》八六："《车服志》，初职事官三品以上赐金装刀砺石。一品以下，有手巾、算袋、佩刀、砺石，而五品以上佩䩞䪐七事（佩刀刀子砺石契苾真哕厥针铜火石是也）。"

三合鞘御刀子

凤凰、鸳鸯，下半界方格五，花鸟间以图案；里无界，满镂花鸟文样。红牙尺乙，略长，表界十格，图案花鸟相间，里亦如之。绿牙尺技法如前二尺，甲表区十格，文样则为雁、雀、鸳鸯、麟、鹿之属，间以图案花纹；里无界，花鸟间列。乙实非绿而为蓝，染色已磨损，图样如前。四尺均以红绿染色象牙刻镂而成，文留牙白，尚有于花瓣及鸟兽白纹中，饰以其他色彩者。"白牙尺"分寸区明，与今式同。六尺长度，依王静庵先生所考[1]，取今工部营造尺所计："绿牙尺乙，长九寸五分五厘。红牙尺乙，长九寸四分八厘。白牙尺二，均长九寸三分。红牙尺甲与绿牙尺甲均长九寸二分六厘。其最长者，与余所制开元钱尺略同。其刻镂傅色，工丽绝伦，《大唐六典·中尚署令》注，每年二月二日进镂牙尺。此云红牙拨镂尺、绿牙拨镂尺，并唐旧名。其制作之工，亦非盛唐不办。今并完好，观其形制，必当时遣唐使所赍去也。……"按此六尺，见于"天平胜宝八岁（756）六月二十一日献物帐"目中，当为唐物无疑。又中仓尚有数尺及未造完尺，恐系在日本所仿制者也。唐尺之今传世者，以外尚有南皮张氏藏唐官尺[2]，乌程蒋氏藏唐镂牙尺[3]，日本嘉纳氏藏拨镂牙尺[4]，盖均与正仓院牙拨镂尺为同一时代之物。静庵先生又云[5]："……故唐尺存而隋尺存，隋尺存而《隋志》之十四尺无不存。……"可知院藏唐六尺在学术上之重要有如此者。又闻今朝鲜妇女所用之布尺，色彩美丽，以竹木为之，亦仅有寸界而无分度，盖犹沿唐制。日本嘉纳氏所藏汉尺，虽有寸界而分度不明。又藏六朝铜曲尺一，亦无分度，寸界满雕凤形[6]。可见尺之以花纹别寸度，盖六朝以来之风尚矣。

【1】王国维《观堂集林》卷一九《日本奈良正仓院藏六唐尺摹本跋》（《王忠悫公遗书》本）。

【2】杨啸谷《东瀛考古记》："……至南皮张氏所藏唐尺，牙质洁润，浮雕与拨镂相间，各制一寸，浮雕刀法，隐隐可见，亭台禽兽，精美绝伦。"（《文字同盟》第十七号）

【3】《观堂集林》卷一九，《记现存历代尺度》五唐镂牙尺注云："乌程蒋氏藏，刻镂精绝。……中土未闻有唐尺，余据奈良正仓院所藏红绿牙尺，定为唐开元以前之物。"

【4】罗福颐《传世古尺图录》，唐牙拨镂尺："日本嘉纳氏藏，正面镂楼阁花鸟至精，背亦镂花，有寸无分。"

【5】语见王国维《日本奈良正仓院藏六唐尺摹本跋》。

【6】见《白鹤帖》第一辑，图版40。

红牙拨镂尺

绿牙拨镂尺

"木画紫檀双六局"，前文已述及之，此处始见"双六头"三个，又未制成者三个，"杂玉双六子"六十余个。"头"即头子，亦即骰子。骰音头，北京俗读为shai，而日本于双六头之头亦训读为さい，不图竟与北音相近。头子均牙质，上有么至六点（别有筒陈南仓中，见下），乃双六博时用以视采而行马之具。"双六子"如棋子形，以水晶及黄蓝绿琉璃为之，故名"杂玉双六子"。考双陆所用之马，自洪遵《谱双》一书观之，其形或如捣衣椎状，亦有如棋子形者。[1]惜原物久佚，世多疑而未决，不能一考其制。钱稻孙先生尝谓[2]："正仓院之双陆局，至多可窥唐制之一斑。所惜者马已无存，不知其为棋子形乎，抑捣衣椎状也？"按此"双六子"即双陆之马，惜钱君当时尚未见之。《谱双》所载"日本双陆"所用之骰子及马，谓："以青白二色琉璃为之，如中国棋子状"[3]者，正与今正仓院所陈之品同，可却此惑。考双陆流传，本有南北之分，洪遵昔已言之[4]。今观正仓院此具，可知日本双陆实属于南双陆系统。[5]余因恍然洪遵所云[6]："……亘辽以东，或谓与南无殊。……"之言，深有见地，今始悉日本双陆，确与南无殊，可为洪遵之言作一明证也。夫日本文化自推古至天平时代所受隋唐文化影响，固甚显著；然于海南诸国方面，亦有一部分直接传来，即如舞乐中之天竺乐，自印度传来，林邑乐自占婆输入，此其最著者。至于双陆余则以为自海南传来，与唐无涉，可征之洪遵之言也。至于《魏书》所云："尔朱世隆与元世隽握槊（双陆一名握槊），忽闻局上，欻然有声，一局子尽倒立。"此则真北双陆捣衣椎状之马矣。

"百索缕轴"，百索即《风俗通》所称"五月五日

【1】宋洪遵《谱双》卷五《盘马》条云："北双陆……以白木为白马，乌木为黑马，富者以犀象为之。马底圆平而杀其上，长三寸二分，上径四分，下径寸一分，大抵如今家人所用捣衣椎状。番禺人……以黄杨木为白子，枕榔木为黑子，底平衲短如截柿。……"（顺治刊《说郛》本）

【2】钱稻孙，《日本双陆谭》，《清华学报》第十卷第二期。

【3】《谱双》卷四《日本双陆》条云："……置二骰子于竹筒中，撼而掷诸盘上，视采以行马，马以青白二色琉璃为之，如中国棋子状。……"

【4】同书序云："……家君北归，余虞侍从容始得北双之说。南迁真阳，尝往觐，遂之番禺，又闻所谓南双者。私窃自语，以为四荒之戏，兹得其二，亘辽以东，或谓与南与殊。惟西僰辟远，叵得其详。……"

【5】参阅注【1】。

【6】语见《谱双》序。

造百索——一名长命缕"者也，本系臂避瘟之物，又名"避兵"【1】。今丝索无存，仅余缠丝之轴而已。轴端粉地，彩绘宝相华文，亦治风俗史者之一参考资料。

此处所陈尺八，尚有四点，即"玉尺八"、"桦缠尺八"、"尺八"、"刻雕尺八"。四点长度不一，可证尺八不尽长尺八之义。桦缠者，如今横笛缠线，盖用以防风吹破损也。"刻雕尺八"，制作最精，全管满雕花纹及四女像，插图所示乃原品放大摄影，颇为清晰，可窥全豹。即每一孔，均有圆形花纹。第一孔上刻二女像，一俯而摘花，一立其后作张袖之势。后孔下一女立而手纨扇，略前（第一吹孔下后）一女坐弹琵琶，余均饰以花鸟文样。四女皆唐装，摘花者窄袖着半臂，纯为胡服，发顶作左右双鬟，殆即唐段柯古《髻鬟品》所谓"明皇帝宫中双鬟望仙髻"者欤？弹琵琶者着裙，亦双鬟。手纨扇者，肩披"帔帛"（如今之围巾），其上有花纹，可证《中华古今注》所云唐时"画帛"之有画饰。【2】其髻高耸，想即"朝天髻"【3】之所由昉。张袖者，髻亦如之，着裙衫而广袖，殆为未受胡化者欤？此系假放大摄影，得窥其状，仓内光线黝暗，设无此照，不能明悉其装饰矣。

继观"西棚"，有"紫檀木画挟轼"，挟轼殆即古人所称凭轼之轼，所以憩息悬肱者。今日人燕居，犹用斯物，面积较广而杀，所谓"胁息"者是也。按挟轼日音读为けふしよく，"胁息"读为けふそく，其音极近，汉字"胁息"或即挟轼之假借？此具紫檀木质，施以木画，周缘有金银绘画之花纹。其上原有白罗垫褥，今已剥落。按唐阎立本《历代帝王图卷》（今归美国波斯敦博物馆）中，陈宣帝所凭之轼形式与此相同，可为

【1】晋宗懔《荆楚岁时记》："（五月五日）以五彩丝系臂，名曰避兵，令人不病瘟。按一名长命缕。"（何刻《汉魏丛书》本）

【2】《中华古今注》卷中，女人披帛条云："古无其制，开元中，诏令二十七世妇及宝林御女良人等，寻常宴参侍，令披画披帛，至今然矣。"

【3】见宇文氏《妆台记》（顺治刊《说郛》本）。

百索缕轴

银薰炉

历代帝王图之陈宣帝像

紫檀木画挟轼

此挟轼作一良证。

"银薰炉"，银质球形，遍体镂空，雕饰狮凤花纹，从中半为启阖，内藏灰盘，焚香于中，藉薰卧褥衣服，盖即《西京杂记》所称之"卧褥香炉"[1]。日本嘉纳氏亦藏"唐银质透雕薰炉"[2]一具，形式与院藏者同，惟花纹无此工致。按唐五代词中，颇有写闺中香薰衣衾者，如温庭筠《更漏子》所谓"垂翠幙，结同心，待郎熏绣衾"，韦庄《天仙子》"绣衾香冷懒重薰"，牛峤《浣溪纱》"枕障薰炉隔绣帏"[3]，想均咏此物；而明人之"镀金香球"[4]，即其遗制。

"人胜残阙杂张"，据齐衡三年（856）《杂财物实录》[5]称："人胜二枚，一枚有金薄字十六，一枚押彩绘形等，缘边有金薄裁物，纳斑蕑箱一合，天平宝字元年（757）闰八月二十四日献物。"今品则以二残片粘合为一者。一片系于浅碧罗之上，粘有金箔剪成十六字云"令节佳辰，福庆惟新，变（当为变字之讹）和万载，寿保千春。"《杂财物实录》所称有金箔字者即此，今金箔诸字已变黝黑，罗色亦暗矣。又一片较大约四分之三，粘于其下，边缘图案以金箔剪成，上粘红绿罗之花叶，缘内左下端有彩绘剪成之竹林，一小儿戏犬其下。金箔边缘及彩绘人物，色彩如新，惟犬形已残耳，此当即《实录》后称之物。考人胜为用有二，一以金箔镂成，人日贴于屏风；一翦彩为之，戴于头鬓[6]。今观正仓院所存残片，可知乃屏风贴用之物。忆李商隐《人日》诗有"镂金作胜传荆俗，翦彩为人起晋风"[7]之句，所咏与此正合，不意今千百年之后乃得见其实物，洵为一最有兴味之事也。

"绣线鞋"，麻布为地，张以红色花鸟纹锦，重

【1】《西京杂记》卷一："长安巧工丁缓者……又作卧褥香炉，一名被中香炉，本出房风，其法后绝。至缓始更为之，为机环转运四周，而炉体常平，可置之被褥，故以为名。"

【2】见《白鹤帖》第一辑，图版49。

【3】三词见《花间集》卷一，卷三，卷四。

【4】《留青日札》："今镀金香球，如浑天仪然，其中三层，关棙轻重适均，圆转不已，置被中而火不覆灭，其外花卉玲珑，篆香四出。"

【5】《正仓院御物棚别目录》引。

【6】晋宗懔《荆楚岁时》记："正月七日为人日，……翦彩为人，或镂金薄为人，以贴屏风，亦戴之头鬓。"（何刻《汉魏丛书》本）

【7】《李义山诗集》卷五（《四部丛刊》本）。

令節佳辰
福慶惟新
燮和萬載
壽保千春

人胜残阙

绣以线，鞋头缀饰刺绣花形，相传为圣武皇后遗物。按《旧唐书》四五《舆服志》载："……武德来，妇人着履，规制亦重，又有线靴。开元来，妇人例着线鞋，取轻妙便于事，侍儿乃着履。……"是此纯仿唐制也。又马缟《中华古今注》卷上云："鞋子自古即有……至东晋又加其好，公主及宫中贵人，皆丝为之。凡娶妇之家，先下丝麻鞋一緉，取其和谐之义。"是鞋之踵事增华，盖自东晋始。又《正仓院御物棚别目录》中，于此点下注四两（緉亦作两），亦沿古称。

"漆胡瓶"，口有盖，鸡形，即中国所谓之天鸡尊形。此系以竹为胎，涂漆于上，饰以银平脱鹿雁花草诸文样。瓶形本出自波斯萨珊朝，传入中国，又美而化之。制以竹胎髹漆，饰以平脱，即其明证。又唐三彩中，亦有此种鸡形之瓶，即如东京广岛晃甫氏所藏之"三彩鸡头壶"[1]，均可证唐人之慕波斯风也。

"南棚"所陈，尽为镜鉴及贮藏之函，共十八点。镜之形多圆或八棱，其质则为青铜或白铜。镜背除普通铸造者外，有螺钿者，有金银平脱者。其文样则有鸟兽、花草鸟兽、花鸟蝴蝶、飞仙云鸟、山水鸟兽各种。其平脱、螺钿者，花纹尤精美都丽，不能缕述。据《正仓院棚别目录》载，原存二十面，今存其十八，尚有八面残毁补修者[2]。即如第六五号之"平螺钿背圆镜"，第六七号之"漆背金银平脱圆镜"等皆是。盖此棚所陈之金银平脱及螺钿背诸镜，多经修补，犹有一二残阙之品也。又南仓尚有镜三十八点，制法文样，尤胜于此棚所陈诸镜，下文容另述之。此棚并有四巨镜，不可不记之：（一）、"鸟兽背八角镜"，据《献物帐》称重日本十三斤十五两，径一尺四寸五分半。（二）、"漫背八

【1】 见《唐三彩图谱》图版31，东洋陶磁研究所刊。

【2】 《东大寺续要录》："宽喜二年（1230）十月二十七日，有盗窃御镜，入京都，欲沽窃不售，悉毁弃之，鞠讯得实，因收而还纳。"

漆胡瓶

【1】编者按：梅原末治（1893—1983），京都大学名誉教授，日本著名考古学家，对中国青铜器和铜镜的研究尤为突出。

【2】见原田淑人《从考古学上观察中日古文化之关系》。

【3】《后汉书》二九《舆服志》："衣裳玉佩备章采，乘舆刺史公侯九卿以下皆织成，陈留襄邑献之。"《太平御览》八一六引《汉书·舆服志》："虎贲武骑带鹖冠文虎章文，襄邑岁献织成虎文。"

【4】《西京杂记》卷一："宣帝被收，系郡邸狱，臂上犹带史良娣合采宛转丝绳系身毒国宝镜一枚，大如八铢钱。……及即大位，每持此镜感咽移辰，常以琥珀笥盛之，缄以戚里织成，一曰斜文锦。"
又同书卷一："赵飞燕为皇后，其女弟昭仪在昭阳殿遗飞燕书曰：今日嘉辰，贵姊懋膺洪册，上襚三十五条，以陈踊跃之心，内有织成上襦，织成下裳。"

【5】《中华古今注》卷中："天宝年中，西川贡五色织成背子。玄宗诏曰：观此一服，费用百金，其往金玉珍异，并不许贡。"

【6】姚汝能《安禄山事迹》卷上。

【7】《杜工部集》卷二〇《太子张舍人遗织成褥段》（《四部丛刊》本）。

【8】大村西崖、田边孝次共撰《东洋美术史》上卷。

【9】朱启钤丝绣笔记卷下，辨物二。（《丝绣丛刊》本）
编者按：朱启钤（1872—1964），著名实业家、工艺美术家，中国营造学社创始人。

角镜"，重十四斤十五两，径一尺四寸七分。（三）、"鸟兽花背圆镜"，重四十三斤八两，径一尺五寸五分。（四）、"鸟兽花背八角镜"，则重四十八斤八两，径二尺一寸七分，洵为镜鉴中之巨擘。所陈诸镜，中日制品均有，余曾询诸梅原末治[1]博士，姑举一例，如第七八号之"花鸟背八角镜"、第八三号之"槃龙背八角镜"，系自唐传来之品。第八七号之"云鸟飞仙背圆镜"及前述最大之"鸟兽花背八角镜"则为奈良时代自造者。原田淑人博士尝云[2]："奈良镜鉴，多从唐来，亦颇自造。其时工巧，无多让于唐。"今观和制诸镜信然。

仓内中央，别有一玻璃巨函，内陈"御袈裟"九领，圣武天皇御物。九领悉纳此函中，每岁易陈一领，余所见者为"九条刺纳树皮色袈裟"等，此领以杂色各种绫锦缀成文样，横为九条，色彩有如树皮故名。按刺纳当作纳刺，《急就篇》颜注："纳刺谓之紩。"《说文》："紩，缝也。"于义为当。检之《东大寺献物帐》，即作纳刺未误。九领之中，尚有一最可注意者，即"七条织成树皮色袈裟"。织成为古锦之一种，见于《后汉书·舆服志》[3]，《西京杂记》亦有"戚里织成"、"织成襦裳"之目。[4]降至有唐益盛，如西川贡"五色织成背子"[5]，明皇有赐安禄山织成锦帘之品[6]，老杜集中亦有"织成褥段"之咏[7]。《太平御览》卷八一六布帛部，织成并别为一类，尤可见斯物当时之盛。其名诠释，言人人殊，如日本大村西崖氏则谓："织成锦即古代之刻丝。"[8]而吾国朱启钤氏乃云[9]："刻丝与织成，近代美术家谓为今古之别；然自工作及物质言之，是一是二，尚待论定。"朱氏精于丝绣鉴别，刻丝、织成不漫为诠定，可见二物区别之难。朱氏《丝绣笔记》

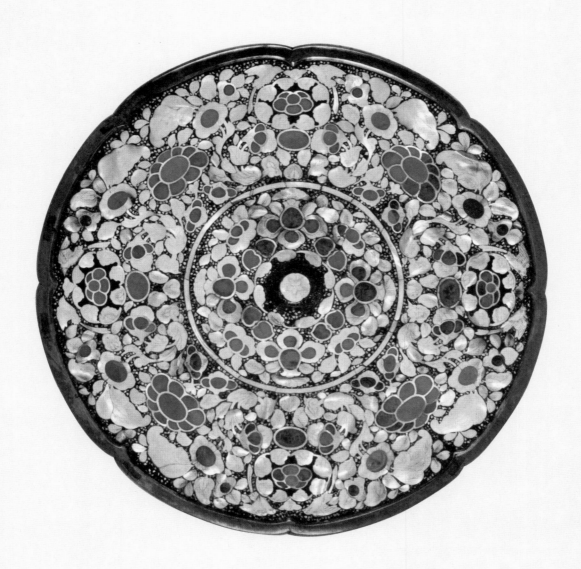

平螺钿背八角镜

金银钿庄唐大刀

卷下又引英和《恩福堂笔记》云："于文襄公尝语同列云：所谓缂丝者，乃用之于册页手卷，不闻施之于衣。盖往时朝衣蟒袍皆织成，岂独无缂丝，即顾绣亦后来踵事也。"按语云："此条于织成、缂丝之区别，虽甚浅近，却至明晰。"院藏之织成即用于袈裟，亦属衣类物品，可为于文襄公之言作一旁证。惟明石染人氏云[1]："织成树皮袈裟，见于《东大寺献物帐》，所书乃缀织（即中国之刻丝）。"按刻丝之法始于宋，庄季裕《鸡肋编》记其法颇详。唐代止有织成之名而未有刻丝，明石染人氏之言，岂其然欤？此点余亦曾一寓目，谫陋如余，更不敢漫为诠定，姑引诸贤所论，以待后之论定。

"北棚"外右侧，别陈"金银钿庄唐大刀"一点，刀长日尺二尺六寸四分，锋两刃，刀身微曲而非剑。所谓"唐大刀"者，乃纯粹唐制之大刀，以别于其他所仿之"唐样大刀"而言。日本刀剑鉴赏家关保之助氏云[2]："唐大刀之特征，惟在其镡（即剑鼻）。此式之大刀与我国固有之大刀，其相异处，主要即在镡之不同，此盖缘两国国民刀剑用法殊异所致。我国刀剑，专用以斩伐，互击之际，为防敌刀下斩，故置大镡。然华人刀剑，以刺杀为主，其镡为用，与其谓为护拳，勿宁谓为刺杀之际，恐防手滑伤而设，华人因称其名为剑鼻，盖刀身与刀柄之间，虽设同样之物，然为用不同，故其形亦异。正仓院式之镡，仅此一点，在南仓阶上琉璃制器皿中陈列云。"观此可悉中日刀剑为用之殊。此刀鲛皮柄，鞘身有"末金镂"（まつきんる）文样。"末金镂"者，于漆面播金屑成花纹，即今日本"莳绘"（まきゑ）之所由昉。鞘柄均有金银镂空之饰品，嵌以珠玉瑟瑟[3]之属，最为名贵。

【1】同书卷上引日本明石染人《论明刻丝仕女花卉图》有云："缀织之名，为日本后世人所命，在中国则为刻丝。正仓院所存缀织，非古人梦想所及，近代之收获。如圣上皇供御之织成树皮色袈裟，见于《东大寺献物帐》，所书乃缀织也。"

【2】关保之助《正仓院之刀剑——正仓院の研究》，《东洋美术》特辑。

【3】明方以智《通雅》卷四八："瑟瑟，碧珠也。……有三种。宝石如珠，真者透碧，番烧者圆而明。"瑟瑟唐代最流行，见《明皇杂录》、《太真外传》。

又一玻璃函内陈“花毡”，乃各色文样之毛毡。原田淑人博士云[1]：“唐有白毡、绯毡、花毡，正仓院多传花者。为毡，染毛而后织。”凡三十一床，重叠不得尽见。曾见“碧地二窠长方毡”一床，图案作二大团花纹，以八花组成，配以珍草，浅蓝地，花纹紫褐绿三色，极形雅丽之致。偶阅《正仓院御物图录》第三辑，又见“花卉人物长方毡”二床摄影。图案系小花纹二种，交互配列，中各有一人物织像，姿态不同。据说明云，乃“唐子样”（即中国式的儿童）人物云。其右一人像左手执杖，作接球之势。余观此图，忽觉此非唐代流行打波罗（Polo）球之写照乎？其杖端如偃月，亦非即击球之杖欤？向觉明[2]《长安打球小考》[3]云：“打球本以马上为主，唯唐代长安亦行步打，王建《宫词》所谓‘寒食宫人步打球’是也。”此图亦即步打之象，可资佐证。波罗球戏象，仅见古明器骑马女俑[4]及明人所绘马上之图[5]。至于步打之姿，从未之见。今得此当时所作形象，弥觉珍贵异常。此毡来自唐土，抑制于东瀛？虽难确定，但可见当时之流行的趣味也。

“北仓”上各棚之上部，遍陈“伎乐面”（面即面具），凡六十七具。所谓“伎乐”者，乃日本奈良时代（645—781）盛行之一种乐舞，凡佛寺法会多用之，犹如今日之舞乐。伎乐之传入日本以用具最先，约在钦明朝（540—571）由吴国主照渊孙智聪携来一具，吴主照渊者，内藤藤一郎氏以为即梁武帝萧衍之同音误书也。[6]演奏则在推古天皇二十年（612）由百济归化人味摩之者传入[7]，圣德太子以之为佛教祭仪，经此提倡，日渐盛行，当东大寺大佛开眼供养会时，即曾演之，洎平安朝（782—897）以降，舞乐代兴，伎乐始

【1】原田淑人《从考古学上观察中日古文化之关系》。

【2】编者按：向觉明（1900—1966），名达，字觉明，中国历史学家，专长敦煌文字写卷和中西交通史等研究。

【3】向达《唐代长安与西域文明》六，《长安打球小考》（《燕京学报》专号之二）

【4】滨田耕作《支那古明器泥象图说》，图版90。

【5】向达《唐代长安与西域文明》，第10图C明代打球图。

【6】内藤藤一郎：《伎乐に就いて》，《佛教美术》第六册。

【7】《日本书纪》卷二二，推古天皇二十年：“百济人味摩之归化曰，学于吴得伎乐儛，则安置樱井，而集少年，令习伎乐儛，于是真野首弟子新汉、齐文二人习之，传其儛。”

花毡

衰。今此种乐舞，虽已无传，然当时所用之面具衣装，赫然犹存，即今正仓院等处所藏之物是也。[1]"伎乐"日训读为"くれのうたまひ"，即"吴之乐舞"之义，故亦称"吴乐"（日本所谓吴者，殆泛指中国长江以南，华南全部而言。），味摩之曾学于吴得伎乐舞，见《日本书纪》，可知其渊源有自。惟伎乐虽以吴乐为名，然自其现存之面具观之，除妇女童子外，殆无不高额深目，鹰鼻丰颐，自人种型观之，或如西域人，或似印度人，其具中国型者，仅童妇而已，故以吴之训伎，似为未当，野上丰一郎博士非之是[2]矣。关于伎乐之来源，野上博士以为乃隋九部乐之一，依其所用乐器观之，似属于西凉乐、龟兹乐之系统，或竟渊源于天竺乐也。[3]其言深获我心，盖自其传来时期言之，当中国隋炀盛时，正在制定九部乐之际，九部乐如西凉乐、天竺乐、龟兹乐、高昌乐等，泰半属于外国乐系统，故伎乐中当亦含有隋乐之成分。关于伎乐之演奏，日本亦乏详细参考资料，唯天福元年（1233）狛益真氏之《教训抄》卷四伎乐章，尚得窥见一斑。依此书所载曲目次序，计先"狮子舞"，次"吴公"，次"金刚"，次"迦楼罗"，次"波罗门"，次"昆仑"，次"力士"，次"大孤"，次"醉胡"，次"武德乐"[4]；"昆仑"、"力士"本为一曲，"武德乐"自昔即已不舞，故共八种。其乐器仅有笛一，腰鼓二，铜钹二；音调不过《平调》（"大孤"用之），《壹越调》（即唐《越调》，"昆仑"、"力士"、"波罗门"、"醉胡"均用之），《般涉调》（"狮子舞"、"迦楼罗"用之）而已。观此八种伎乐，余意其合于隋唐乐乐舞者，如"狮子舞"殆即唐立部伎中之《太平乐》[5]，"醉胡"或为散乐《苏中郎》之变形[6]，"随群"（"醉胡"之从者）面具，冠斑文帽，高鼻下垂，牙齿外露，颇似立部伎《安乐》[7]所

【1】据野间清六、金森遵共编《日本古乐面目录》（帝室博物馆出版所载伎乐古面遗品，大别为（1）御物伎乐面，即由法隆寺献纳皇室之味摩之三十一面，外一面。（2）正仓院御物伎乐面，凡一百六十四具。（3）东大寺伎乐面，天平胜宝四年大佛开眼会供养所用，与正仓院同一作者，凡三十二具。
据石田茂作《正仓院御物年表》所载，南仓今存（未陈览）有"吴乐昆仑布衫"、"吴乐金刚袍"、"伎乐狮子儿衣"、"吴乐醉胡袍"、"吴乐迦楼罗袴"、"吴乐木笏"等若干点。

【2】野上丰一郎《伎乐面舞乐面及び能面》，《能研究与发见》页232。
编者按：野上丰一郎（1883—1950），能乐研究家，英国文学研究家。

【3】野上氏论文同前，页228—230。

【4】关于伎乐曲目内容之研究可看下列论文：（1）内藤藤一郎《伎乐に就いて》，《佛教美术》第六、第八两册。（2）高野辰之《我が古假面に就いて》，《东京帝室博物馆讲演集》第十册。

【5】《旧唐书》二九《音乐志》："《太平乐》亦谓之'五方狮子舞'，狮子鸷兽出于西南夷天竺师子等国。缀毛为之，人居其中，像其俯仰驯狎之容，二人持绳秉拂，为习弄之状，五师子各立其方色，百四十人歌《太平乐》，舞以足，持绳者作昆仑象。"正仓院南仓北仓各陈二具。

【6】《教训抄》云："醉胡亦称醉胡王，盖为胡王醉态滑稽的表演。"按舞乐中有"胡饮酒"，殆所从出，其源恐即唐散乐《苏中郎》也，《乐府杂录》鼓架部："后周士人苏葩，嗜酒落魄，自号中郎，每有歌场，辄入独舞。今为戏者，著绯戴帽，面正赤，盖状其醉也。"味摩之将来面中有"醉胡王"面一具。

【7】《旧唐书》二九《音乐志》："……《安乐》者，后周武帝平齐所作也。行列方正象城郭，周世谓之'城舞'，舞者八十人，刻木为假面，狗喙兽耳，以金饰之，垂线为发，画猰皮帽，舞蹈姿制，犹存羌胡状。"正仓院面中，"随群"凡五，惟一面作此形。

上图：吴女面

下左图：狮子面

下右图：迦楼罗面

用之面，而"狮子舞"所用乐曲，换头乃《陵王破》，《陵王》即《兰陵王》之略，亦唐散乐之一[1]，此则《兰陵王入阵曲》之入破也。依此数点之可考者观之，可知伎乐内容果似含有隋唐乐成分，或仅袭其貌而改易内容（如"醉胡"之于《苏中郎》）；或取其音曲，混入他舞（如"狮子舞"之奏《陵王破》）；又杂糅古印度等民俗剧曲混合而成（如"迦楼罗"、"婆罗门"、"昆仑"等）。若依华南地理上之关系考之，或更杂有骠国乐[2]成分，亦或可能。总之，伎乐非纯粹某一系统之乐舞，可断言也。所谓伎者，盖犹沿袭隋唐之原义。或有以余说为不近理者，昧摩之学吴乐，正当隋世，今频以唐乐证之，岂非妄诞？殊不知唐乐即因隋之旧[3]，故即唐可以言隋，实无置疑者。至于日本所存昧摩之将来之伎乐面，今存者有"醉胡"、"金刚"、"吴女"、"迦楼罗"、"婆罗门"、诸名目，较正仓院仿制诸面为巨，原藏法隆寺，今归东京帝室博物馆保管。正仓院所存"伎乐面"，计有一百六十四具之多（南仓上尚有六十七具，又未陈者三十具），其制作时代不一，以大佛开眼会时制者为主。其质有木雕，有干漆，均傅色，大抵以赭赤为主，间亦有施铅粉者，或植须发，今尚有未凋落者；又如"狮子面"眼球下颚，并能移动，尤见巧思。面之尺寸大于常人，有如吾国剧场所用之四天王"套子"（覆于头部之大面具）而喇嘛教之"粲暮"[4]如北京雍和宫所用之"鬼套子"，其怪奇之形貌，尤为近似，故日本学者有据此点遂谓伎乐渊源于西藏者[5]。面内往往存有题识，或书供养会岁月（如北仓第二十四号之面，内题相李鱼成作，天平胜宝四年四月九日）及工匠人名（如上述之相李鱼成，又二十号

【1】详见拙作《舞乐兰陵王考》，《东方学报》（京都）第十册第四分。

【2】《唐会要》卷二四："骠国乐贞元十八年正月骠国王来献，凡有十二曲，以乐工三十五人来朝，乐曲皆释氏经论之词，骠国在云南与天竺国相近，故乐多演释氏之词。"（《武英殿聚珍》本）

【3】《旧唐书·音乐志》二："高祖登极之后，享宴因隋旧制，用九部之乐，其后分为立坐二部。"

【4】"粲暮"西藏语——北京谓之"打鬼"——意即有步骤的舞蹈，西藏、蒙古、北京各大喇嘛庙，岁朝岁暮均行之，以祓除不祥，演者戴假面具，有四天王二十八宿，并各鬼神。

【5】竹内胜太郎：《伎乐面の源流に就て》，《东洋艺术丛书》之二五。

之面内题舍目师作），人数（如第三十二号之面，内题
作苤坂富贵，功九人）。日数（如第二十九号之面，内
题作大田和麻吕，十日作了），盖多成于当时制面师之
手，石田茂作氏所考[1]凡七人可确悉也。至若正仓院诸
面之技工，据金森遵氏之研究[2]，以"随群"、"用
论"（即"昆仑"）诸面最含古调，雕刻深强有力；就
中尤以天平胜宝四年（752），舍目师、基永师\延均师
等为大佛开眼会所作者，最为精致，雕法圆熟，颇能发
挥写实妙味，天平雕刻之精品也。次即推天平胜宝九年
（757）苤坂富贵等所作，与四年诸制，作风相似，或
更含古调。其余年代愈下，技工亦不可同日而语矣。观
金森氏所举上列诸面，其雕刻所表现各种状貌之情态，
无不深刻生动，天平雕刻艺术之佳，叹观止矣。

【1】石田茂作：《正仓院御物の铭识
に现はれたる人々に就いて》，《正仓
院史论》，《宁乐》第十二册。
编者按：石田茂作（1894—1977），曾
任日本奈良国立博物馆馆长，日人誉
为"佛教考古学的先驱"。
【2】金森遵《正仓院伎乐面に就て
（上）》，《国华》第四六编第十一
册。

中仓下

【1】编者按：西北科学考察团：指1927年中国学术团体协会与瑞典探险家斯文赫定联合组成的考察中国西北地区的学术团体。

【2】白氏《长庆集》卷二一，《鸡距笔赋》："足之捷者有鸡足，毛之劲者有兔毛，就足之中奋发者利距，足毛之内秀出者长毫。……象彼足距，曲尽其妙。……"（《四部丛刊》本）

【3】马衡《记汉居延笔》："……正仓院所藏古物，多为唐制。天平笔之制作，与王羲之《笔经》所记，类多相合。《笔经》是否为晋时作品，虽不敢必；而非唐以后人所作，则可断言也。《笔经》言，先用人发杪数十茎，杂青羊毛并兔毫，惟令齐平，以麻纸裹柱根令治。次取上毫薄薄布柱上，令柱不见，然后安之。此天平笔被毫已脱，惟存其柱，根柱裹之，疑即麻纸也。……"《国学季刊》第三卷第一号。

【4】《西京杂记》卷一："天子笔管以错宝为跗。"

【5】明项子京《蕉窗九录》："古有以金管、银管、斑管、象管、玳瑁管、玻璃管、镂金管、绿沉漆竹管、棕竹管、紫檀管、花黎管，然不若白竹之薄标者为管，最便持用。"（西泠印社本）

【6】编者按：菩提僧正（704—760），名菩提仙那南天竺人，世称婆罗门僧正或单称菩提。天平胜宝年间任僧正，东大寺大佛落成时，经推举为"开眼供养"之导师。

【7】编者按：后白河法皇（1127—1192），即后白河天皇，日本第77代天皇，1155年至1158年在位。

北仓一一览毕，继至中仓之下，仓内陈列布置一如北仓。先观"中棚"，所陈多文房用具，"笔"凡十七支，不似今制，与西北科学考察团[1]前于西陲发见之"居延笔"亦异，毛颖短促，有残存者有不存者，其形余意殆即白香山所称之"鸡距笔"[2]，盖其锋亦恰短如鸡距也。毫内近根处裹以麻纸，尤见古制，马叔平君曾谓天平笔（见下）之制法即本于《笔经》[3]，固已引人注意，惜未言及此十七支唐式笔也。其装潢之华丽，尤足惊人，言其管有梅罗竹者、斑竹者、豹文竹者、筱竹者；间施装饰，有饰金者、饰银者、饰牙者、桦缠（如今笛上所缠黑丝）者。管端大率皆以象牙为之，尚有紫檀或银镶者，笔帽如闭伞形，以竹为之，间有施银牙装饰者，亦有如今日之竹笔帽式者。按管之尚华饰，自汉已然[4]，明项子京所言古人各种珍异笔管[5]，恐即如此装饰。此十七支唐笔，来源莫明，就中当亦有日本仿造者。以外尚有"天平宝物笔"（即马叔平所称之天平笔）则纯为日本制品，斑竹管，甚长，长至五十六厘六，有节无饰，上有刻识"文治元年八月二十八日开眼法皇用之天平笔"，此系天平胜宝时，菩提僧正[6]所用大佛开眼之笔，后白河法皇[7]再用为佛像开眼者，其刻识虽题文治元年（1185），实则为天平笔也。此种天平笔，今奈良笔工，犹传其法，所制之笔，内藤湖南博士即喜用之，往岁偶与谈正仓院唐笔，博士言："余家

笔

尚存仿制之笔，君曷来一试？"惜余拙于书而博士又远隐瓶原，未能如约一往，今博士已归道山，述此不胜慨然！

"墨"有十四笏，以新罗墨为最多，唐墨仅一笏，两首竹锐，略似《墨海》所载唐奚廷珪"祖记墨"及墨官李惟庆"龙射墨"[1]，径长二九厘六，宽五厘，厚一厘九，表有阳文"华烟飞龙凤凰槵贞家墨"十字，里有朱书"开元四年丙辰秋作贞□□□□"题识，盛唐制墨，保存至今，且犹完整，洵为宇内绝品！墨长几尺，世所未见，则知南唐李超（唐奚超之子，渡江后，南唐赐姓李）制墨有长近尺余之言[2]为非诬。新罗墨有题"新罗杨家上墨"者，有题"新罗武家上墨"者，俱阳文，形如贞家墨而微短。以上三家墨工，俱不见宋晁之《墨经》、陶南村《辍耕录》、麻三《衡墨志》诸书著录，可补逸也。又"天平宝物墨"，盖与"天平宝物笔"同为后白河法皇再用为佛像开眼之物，其形与前述之唐墨同。

纸有"色麻纸"，为色黄白赤碧均有，质如隋唐写经用纸，天平时代亦供写经之需也。又有"绿金笺"，纸面洒金，或谓唐代之销金笺即此。纸形作叶状，大佛开眼时用以散花者，今犹残存数片。"吹绘纸"存三十页（内茶色者二十页，蓝色者、杂色者各五页），系于白麻纸上，施以各色吹点，现出白纹之蝶鸟花草，此种技巧，今中国尚存其法，偶于庙会或街头见之，纯为平民艺术，人罕注意矣。

又有"诗序"，即《王勃集》残卷，据内藤博士所考[3]，卷中所收皆序类，凡四十一首，就中二十首为今本《王勃集》佚篇，余二十首亦与今传本颇有异同

【1】明方瑞生《墨海》第一辑卷二《古墨图纪》，唐墨图页4，页15。（明万历刻本）

【2】麻三衡《墨志》："徐常侍得得李超墨一挺，长近尺余，兄弟日书五千字，凡用十年乃尽。"（《十六家墨说》本）

【3】详见内藤虎次郎：《正仓院尊藏二旧钞本に就きて》，《支那学》第三卷第一号。

按此卷佚文二十篇，上虞罗振玉氏曾辑为《王子安集佚文》一卷并校记一卷行世（《永丰乡人杂著续编》所收）。又大正十年（1911）东京佐佐木信纲氏假院藏本影印为《王勃集》残卷一卷行世。

《最胜王经》帙

云。"梵网经"，白麻纸本，紫麻纸装池，上有金银绘山水，以水晶为轴。"桧金银绘经筒"，即《梵网经》之经筒，桧木质，上绘花蝶。"《最胜王经》帙"，帙紫地，黄色唐花草文锦边，左右作二团纹，中为迦陵频迦，缘以葡萄唐草图案，周缘又有织出之字，一为"依天平十四年岁在壬午春二月十四日敕"次接"天下诸国每塔安置金字《金光明最胜王经》"，按唐人卷子本，佳者往往有帙裹之，此犹具唐风，据《正仓院御物图录》第六辑第五十六图说明，此帙乃织成之品云，天平时代当时之染织艺术，精美如此，洵足惊人。

此处又见"红牙拨镂尺"四，而表红里白，分格不同，所刻图样，亦与北仓四尺异。计（1）表红，上界五格，各镂鸳鸯花纹，下半通下，中镌莲华上有扑蝶童子，配以鹨鹅雁鹏之属，其白描轮廓，间点少许黄绿，里白镌凤凰飞仙之相。（2）表红，界为十格，镌飞鸟花纹，施以绿点，里无界，山下有飞仙花鸟之属。（3）表里俱红，前镂花鸟，里界十各填虎鹿狐雁诸禽兽。（4）表里俱红，前界十格，有鹿狮诸兽，里半刻屋宇，半镂鸟兽。诸尺拨镂之佳，不下北仓四尺，而（1）尺刻镂尤生动，当时匆匆一观，兹据《东瀛珠光》第三辑所载写真，备细记之。此外尚有"斑犀尺"、"木尺"，并"未造了牙尺"，可知上述诸镂牙尺中，当有日本制品也。

"北棚"有琉璃器数点，所谓琉璃者即玻璃也。计有"琉璃杯"，深紫色，高足，外侧刻有小环形浮纹，银足金莲瓣托。"绿琉璃十二曲长杯"，乃口部呈十二曲波纹之扁圆深盘，外侧有鱼藻花纹。"白琉璃瓶"，波斯水瓶式，有注口及柄。"琉璃壶"为藏青色之玻璃唾壶。

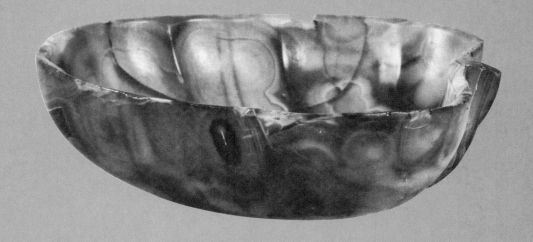

绿琉璃十二曲长杯

白琉璃碗

白琉璃瓶

琉璃杯

琉璃壶

"白琉璃碗"，淡褐色，外侧有琢磨出之龟甲纹。以上诸器，自其外形观之，均为欧洲之产物无疑，盖当七八世纪之交，东罗马帝国所制，波斯商贾传来中土，继又自唐输入日本者。

玉器有"玉长杯"，"玛瑙杯"二，一叶形，一卵形，叶形之玛瑙杯尤精细，叶柄叶脉，俱雕出如生物。

又有"犀角杯"，以犀角尖顶部制成。"铜薰炉"与前记北仓之"银薰炉"同形，不过此乃铜质，无其雕镂之佳。"柳箱以柳条编成，筥形有盖，如今日中国乡间盛物之筺笭。"

"刀子"又有六十柄（内含小铇小锯二点），最长者三十七厘，最短者五厘六（均身鞘共计之），多系合二柄为一双，亦有合三柄四柄为一双者。其柄则有青石、斑犀、沉香、犀角、紫檀、象牙诸质，并有另加以华饰者，如沉香金银绘、紫檀螺钿、白牙拨镂、黄牙彩绘、水牛角金银绘诸饰；而鞘之装饰意匠，尤多变化，有木心桦缠镶以玉虫翅者[1]，有木地涂以苏芳（即苏木）镶嵌白银珍珠者，有沉香金银彩绘者，有压以金箔张以玳瑁者，有绿色紫色镂牙者；柄端鞘尾多为金银雕饰，嵌以瑟瑟之属，无不小巧玲珑，制作都丽，洵可谓集刀子之大观者矣，如图版所示，可见精巧之一斑。

"西棚"所陈多为箱橱几盒木器之属，其装饰彩画之精巧瑰丽，意匠构思之繁复凝练，自是天平美术工艺之结晶品，余愧无生花笔，一一描写之，姑记其最佳者数具，以见一斑。如"沉香金绘木画水晶庄箱"，全器沉香木质，紫檀木画为界，上以金泥绘饰云形，中嵌三方形水晶片，下复衬以彩绘花草鸟兽，左右两侧亦如之，架之四足有镂空象牙装饰花纹。

【1】玉虫（たまむし）为吉丁虫科之一种，翅极绿而有光泽并带红线，细巧美丽，历久不坏，镶嵌中之珍品也。朝鲜庆州金冠冢（滨田耕作博士云：冢之时代约在新罗炤知，智证，法兴诸王时代（57—459）发见之金冠，日本奈良法隆寺飞鸟时代（540—644）之玉虫厨子，均利用此虫翅以为装饰。按《唐六典》卷二二，中尚署掌岁时乘舆器玩服饰，广东安南贡品，有"紫檀、柏木、檀香、象牙……青虫、珍珠……"今广东、安南俱产吉丁虫，则《六典》所称之青虫，当即玉虫无疑。正仓院物品所用之玉虫，据山田保治氏之研究，乃日本关西地方所产之虫云。其说详见山田氏所著《古代美术工艺品に应用せられし"タマムシ"に关する研究》第九章。

沉香金绘木画水晶庄箱

金银平脱皮箱

"金银平脱漆皮箱"，表为金银平脱花纹，中作金凤衔银叶形，周辅以银鸳鸯衔金叶银花形，俱用平脱巧艺表现之。

"蜜陀彩绘箱"，黑漆地，以蜜陀彩绘雁鹇诸花鸟文样，附有铜镶，与今式同，而小巧过之。

"苏芳地金银鼓乐绘箱"，箱暗红色地，盖上有金银泥绘人物花草，中绘三童子，一立舞于莲华之上，左坐而吹箫，右击羯鼓，周饰花纹，辉耀炫人。

"绿地彩绘箱"，箱浅绿地，绘红粉二色草花，点缀墨蝶其上，四周金色缘边，以黑漆描成玳瑁纹形，下呈金地黑彩架，于富丽中而寓淡雅，深得色彩调和之美。"黑柿苏芳染金银山水绘箱"，箱黑柿木质，染以苏木，盖之表面，以金银泥绘成山水，点缀云树鹤，有群峰耸峙，烟水飘渺之概。

"投壶"，附矢二十三支，壶铜质涂金，细刻山水人物花鸟云狮，极纤巧流动，其颈微短，与今传者微异而华丽过之。忆魏邯郸淳《投壶赋》有"盘腹修颈，饰以金银，文以雕镂"之句，今观此投壶，仿佛似之。投壶之戏，自传入日本，奈良朝（645—781）以后中绝，德川时代（1615—1867）虽曾复兴，亦未见盛行，安永三年（1774）又有"投扇兴"（とうせんきやう）之戏，即仿之投壶，用具为扇子、木枕、蝶形三物，其法虽仿之投壶，其意则含有庄生蝶梦之义，惜今亦不传，黑川真道氏曾有一文[1]详述其法。

"南棚"陈弹弓二柄，均木身竹弦，"漆弹弓"普通品，无可记，惟"漆绘弹弓"，弓背以漆描绘唐代散乐人物，至足观赏。全弓约分七段，最上端有冠垂脚幞头团坐观技者六人，侍童三人，其下弹箜篌，击答腊

【1】黑川真道：《投壶と投扇兴について》，《中央史坛》第十二卷第一号。

蜜陀彩绘箱

绿地彩绘箱

投壶

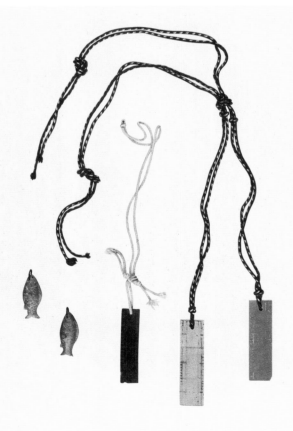

上图：墨绘弹弓（局部）

下图：小尺及犀角鱼形

鼓诸乐工及舞者数人。第二段描戴竿技，戴竿即汉代之都卢寻橦，见张衡《西京赋》者。六朝而盛，泊唐尤盛行，明皇千秋节，宫中尝演斯技，教坊女优王大娘[1]最有名于时，此描一女子戴竿，四小儿攀缘架上，恍如《杜阳杂编》所记石火胡[2]妇人之绝艺。第三段描踏肩戏，踏肩亦属于都卢寻橦，一人肩上叠承四人，今之"叠罗汉"游戏是也。第四段描一男戴高竿，三人攀缘，一女童坐于竿之上端盘中，又似《朝野金载》所记幽州人刘交[3]之妙技。其下悉为奏乐者，有吹笛，吹排箫，弹琵琶诸乐工及挥袖舞者数人，以上为弹弓把，上部所绘诸技艺。弓把以下部分，较短约三分之二，最上端亦描团坐观者十人，似是齐民，下有弄丸者，此乃属于唐乐鼓架部[4]之杂技，次有击鼓吹笛诸乐工及舞者多人。区区一弓背而描如此多种殊形之游艺人物，全体配置匀整，描画细致生动，实为难能可贵之作，固不徒为考唐代散乐之一绝妙资料也。

此处又有"沉香木画双六局"、"紫檀木画双六局"、"桑木木画棋局"等，其装饰技巧，俱逊前述各品。"双六筒"即摇双陆头子之器，紫檀金银绘，口底均镶以银，恐与前述北仓之品为一组者。此外尚有木几十七具，有金银绘者，银绘者，多无特殊技巧，故不详述。

棚外函中所陈，多属玩赏小品，如黄绿诸色玻璃之小"鱼形"、"紫檀金银绘小合子"、"紫檀银绘小墨斗"，绿牙紫牙之"拨镂飞鸟形"、"彩绘水鸟形"、"小香袋"等，均细巧可爱。尚有"小尺"五，有犀角者，黄绿玻璃者，皆长不逾二寸，按唐时中和节有赐红牙银寸尺之故事，白氏《长庆集》有《谢恩赐尺状》[5]，所谓银寸，或即为"小尺"所由昉欤？陈列函外，别陈

【1】唐郑处诲《明皇杂录》卷上："玄宗御勤政楼，大张乐，罗列百技，时教坊王大娘者，善戴百尺竿，上施木山，状瀛州方丈，命小儿持绛节出入于其间，歌舞不辍。"

【2】唐苏鹗《杜阳杂编》卷中："上降日，大张音乐，集天下百戏于殿前，时有妓女石火胡，本幽州人也，挈养女五人，才八九岁，于百尺竿上，张弓弦五条，令五女各居其一条之上，衣五色衣，执戟持戈，舞《破阵乐》曲，俯仰来去，赴节如飞，是时观者，目眩心怯，火胡立于十重朱画床子上，令诸女迭踏，以至半空，手中皆执五色小帜，床子大者始一尺余，俄而手足齐举，为之踏《浑脱》，歌呼抑扬，若履平地，上赐物甚厚。文宗即位，恶其太险伤神，遂不复作。"（《广百川学海》本）

【3】唐张鷟《朝野金载》卷六："幽州人刘交戴长竿，高七十尺，自擎上下，有女十二，甚端正，于竿置定，跨盘独立，见者不忍，女无惧色，后竟为扑杀。"

【4】唐段安节《乐府杂录·鼓架部》："……以至寻橦、跳丸、吐火、吞刀、筷盘、觔斗悉属此部。"

【5】白氏《长庆集》卷四二，《中和日谢恩赐尺状》："古今日奉宣赐臣等红牙银寸尺各一者，伏以中和届节，庆赐申恩。……况以红牙为尺，白银为寸，美而有度，焕以相宜。……"（《四部丛刊》本）

"绘纸"二卷，以轴卷之，仅列部分，系大形白麻纸，两面均以飞白之笔，描成浮云，间以奔兽飞鸟。据《正仓院御物图录》第六辑说明引《元禄目录》所记"绘唐纸二卷"，可证来自唐土。今中国尚存其法，技巧则退化甚矣。

桑木木画棋局

中仓上

继登中仓之上，三棚悉陈兵器及马具，兵器止刀、铧、弓矢数种而已，全部盖皆为日本制品，余于兵器，愧无所知，兹略举其要目如次：

"北棚"上部，陈弓二十七具，计"梓弓"、"槻弓"二种，即以梓槻二木为材之弓也。棚之下部遍列饰以金银之大刀，如"黄金庄大刀"、"金银钿庄唐大刀"、"金银庄横刀"、"金银钿庄大刀"、"金铜庄横刀"、"金铜庄大刀"、"黑作大刀"、"铜漆作大刀"等十四柄；刀身均直而两刃类剑。中以"金银钿庄唐大刀"最为精致，然鞘之装饰，不及北仓陈品。其他诸刀，柄多以鲛皮、沉香木、紫檀等物为之，或更施以金银平脱，金银钿装者；漆鞘之上，亦有复施"末金缕"，或蜜陀绘之花鸟纹者，咸工巧可观。

"西棚"计陈"黑作大刀"十二柄、"无庄刀"二十三柄，殆皆实用之品。又"胡禄"八具，方以智《通雅》三五云："胡禄，箭室也。"盖贮箭之筒，以葛编成，上髹以漆，有"漆葛胡禄"、"赤漆葛胡禄"，"白葛平胡禄"诸目，内均贮箭陈列。此外别陈"箭"十五支，似即唐制竹箭[1]，其羽有雉、雁、隼、雕、鹰之分，镞有铁、骨、竹、角之别，内第八号"雕雌雄染羽箭"及"白葛平胡禄"内之箭，并饰以玉虫翅片，至今荧荧犹发碧光。

[1]《唐六典》卷一六："箭之制有四，一曰竹箭，二曰木箭，三曰兵箭，四曰弩箭。"又注云："竹箭以竹为箭。"

金银钿庄唐大刀

　　三棚之外，别陈马鞍四具，内"桑木金银绘鞍"，形同中国旧式之鞍，而华丽无匹，鞍桥木质，有金银泥绘之花卉，鞯锦制，镫银镂。按古人之于鞍具，初仅革鞯皮荐，自汉以还，渐尚华饰[1]，汉武得贰师天马，以玫瑰为鞍，瑰以金银输石[2]，唐明皇在蜀，以七宝鞍赐张后[3]，可见一斑。正仓院之鞍，恐犹存其风。又"铄"陈三十三件，仅存枪头无柄，日本所谓"铄"（ほこ）似中国枪戈间之一种兵器。外有"手铄"乃短柄之铄，又"无庄刀"十五柄。

【1】《盐铁论》卷七："古者庶人贱骑，绳控革鞯皮荐而已。及其后，革鞍耗成，铁镳不饰。今富者鞦耳银镊鞯黄金琅勒厮绣鲁污垂珥胡鲜。"（程刻《汉魏丛书》本）
【2】见《西京杂记》卷二。
【3】见《天宝遗事》，《格致镜原》二九引。

马鞍

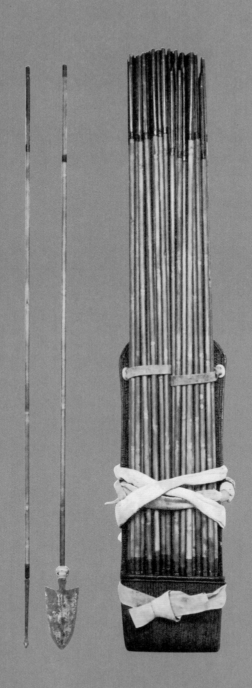

胡禄箭

南仓下

复至南仓之下，最前者"中棚"，悉陈乐器，如"牙横笛"、"斑竹横笛"、"牙尺八"、"尺八"、"吴竹笙"、"吴竹竽"等，多刻东大寺铭识。其中"吴竹竽"之匏并有银平脱之宝相华文及迦陵频迦，尤为稀见之品。

"甘竹律"二，此物实即排箫，均以楸木为边缘，一七管，一九管。

"铁方磬残阙"，方磬即方响，原为纲片十六枚，今存九枚，架亦无之。

"桑木阮咸"形如前述者，而无其瑰丽，捍拨绿地，绘二老松下围棋图。"磁鼓筒"，黄绿斑釉，即世称之唐三彩，此乃高昌、龟兹诸乐所用之腰鼓[1]鼓身，今皮亡筒存，本有大小二种，大者瓦质，此独以磁，当非凡品。又有"漆鼓筒"，木质髹黑漆，附"鼓皮残阙"。

"桧和琴"，即日本琴，桧木质，六弦，今佚；琴面金银泥绘花纹，原有玳瑁、螺钿及木画等精工华饰，惜多已剥落，不能尽见其美。尚有"新罗琴残阙"、"桐木琴残阙"，均无可记。

琵琶凡四点：（一）"螺钿枫琵琶"，枫木质，槽之背侧染以苏芳，复于螺钿中交玳瑁，组成花鸟文样，技巧略似前述之螺钿五弦琵琶，其捍拨绘胡人《骑象鼓乐图》，山景树下，白象上乘四胡人，胡帽者二人，一击腰鼓，一扬袖而舞，外一吹筚篥，一吹横笛，西域趣

【1】《旧唐书》二九《音乐志》："腰鼓大者瓦，小者木，皆广首而纤腹，本胡鼓也，石遵好之，与横笛不去左右。"志又载，高昌、龟兹、疏勒诸乐用腰鼓，按今日本雅乐中犹用此鼓，依其大小，有"一の鼓"、"二の鼓"、"三の鼓"之别，但均用木，可知院藏此鼓筒，犹是原物。

磁鼓筒

桧和琴

味，甚形浓厚。按捍拨上绘骑象图，纯为西域式的风尚，唐时安国乐琵琶，捍拨即画其国王骑象[1]，可知此具乃属于安国式的琵琶，尤为考唐代十部伎者之所应注意。（二）"木画紫檀琵琶"，紫檀质，槽之背面，以莲华文样为中心，配置二双鸳鸯衔花，余间点缀雁鸲鹨鹅，均以象牙嵌成，雅丽非凡，院藏诸木画品物，当推此为第一。捍拨丹地，绘《狩猎宴乐图》，图分三段，上有驰者猎者各一人，中绘宴饮者五人并二奚奴，下乘马逐虎者三人。（三）"木画紫檀琵琶"，槽背满列木画方圆形图案小花纹，较前述（二）之大形花鸟，又别具一种匀整调和之美。捍拨之山水人物，已黝黑难辨。（四）"紫檀琵琶"，普通品，捍拨绘鹰。以上（一）（二）两捍拨，绘画精致，设色浓丽，且间有施阴影者，如《骑象鼓乐图》，山巅并绘日光发射之状，山亦呈凹凸之势，固属六朝以来西域传入之凹凸派画风[2]，与奈良法隆寺金堂壁画[3]，在绘画史上诚有同一之价值，固不待言；而《狩猎宴乐图》亦为六朝风之山水画[4]。研究六朝绘画者之一绝妙参考品，二画之重要性有如此者。正仓院诸琵琶之可认为唐制，固罕疑义，唯黄遵宪《日本国志》卷三六所称："当时藤原贞敏学琵琶于唐人刘二郎，妻以女，赠以紫檀琵琶、紫藤琵琶各一面归，为朝廷重器，今犹现存。"按藤原贞敏[5]使唐较晚，约在仁明天皇承和元年（834），意黄氏末二句所云云者，当存今正仓院中——自非北仓之"螺钿紫檀琵琶"，顾所谓之紫藤琵琶，岂即苏芳染色之枫琵琶欤？惜未有旁证。

乐器之外，又有"破阵乐大刀"二柄，即《秦王破陈乐》[6]甲士舞时所佩之腰刀也，一刃长六十七厘，

【1】《乐府杂录》，"俳优"条云："……安国乐即有单龟头鼓及筝，蛇皮琵琶，盖以蛇皮为槽，厚一寸余，鳞甲具焉，亦以楸木为面，其捍拨以象牙为之，画其国王骑象，极精妙也。"

【2】凹凸派画风，至唐臻于极盛，此派画家之最著者，有于阗国之尉迟乙僧父子，又受此派之影响者有吴道子。

【3】奈良法隆寺金堂壁画，为日本白凤期（645—723）美术之巨构，大小共十二壁，大者四，描《金光明经》之佛，小者八，描诸菩萨及其他。颜貌均以强力描线出之，体躯衣纹并首环、腕环、光背等，均施阴影，自其时代、作风观之，显然为西域凹凸派之画风。详见内藤藤一郎《法隆寺壁画の研究》（第二分册）第四章《法隆寺壁画源流考并に制作年代考》。

【4】见伊势专一郎：《自顾恺之至荆浩支那山水画史》页70（《东方文化研究所报告》之七）。

【5】编者按：藤原贞敏（807—867），平安时代初期的雅乐家，尤以擅长琵琶而闻名，公元838年作为遣唐使准判官赴唐。

【6】《旧唐书》二九《音乐志》："《破阵乐》太宗所造也，太宗为秦王之时，征伐四方，人间歌谣《秦王破阵曲》。……廿人披甲执戟，甲以银饰之，发扬蹈厉，声韵慷慨，享宴奏之。"

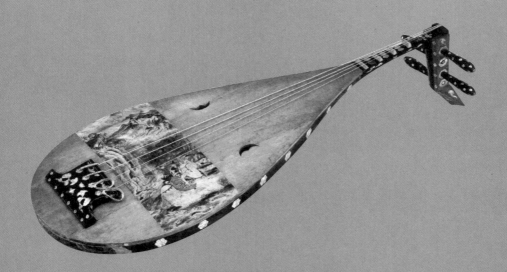

螺钿枫琵琶及捍拨

木画紫檀琵琶及捍撥

一长六十六厘三，刀身刻有"东大寺"，"破阵乐"，"天平胜宝四年四月九日"诸题识，盖天平胜宝四年（752）东大寺大佛开眼法会所用之舞具也。据石田茂作氏《正仓院御物年表》[1]所载，关于《破阵乐》之舞装，尚有袄子、袜、接腰及大刀袋等物，均有"东大寺唐古乐破阵乐"，"天平胜宝四年四月九日"之题识，惜未见及。

北棚"则见"子日手辛锄"，锄为孝谦天皇天平宝字二年（758）正月三日（子日）御用之物，与"子日目利帚"，盖与中国天子亲耕籍田，皇后扫蚕室祭蚕神所用者为意同。锄形略如今制，有金银绘花纹，柄涂朱漆，并画木理。"目利"（めとき）之义不明，一说为"萻"（めとぎ）之假借字[2]云，帚草茎，以紫皮金丝束之，茎端贯以杂玉，故亦称"玉帚"。

又有"彩绘佛像幡"一点，绢本，绘莲台跌坐菩萨一尊，彩色淡素，有纯真理趣之感，广濑都巽氏疑为当时僧侣等之信仰的作为而成[3]，观其笔致与画风，亦颇不类专门画师所作也。

"西棚"所陈多关佛教物品，如"雕刻莲花佛座"、"漆佛龛扉"、"佛像型"、"开眼缕"、"墨画佛像"等。中以"墨画佛像"一帧，最堪注意，此帧通称"麻布墨画菩萨像"盖于方一米之麻布上白描跌坐菩萨一尊，墨线飞动，用笔至为超妙，而衣带飘举，其势圆转，有如郭若虚所称吴道子"吴带当风"[4]之妙者。伊势专一郎氏曾据此像至疑白描之始于吴道子[5]，可见此帧在绘画史上之重要。故泽村专太郎氏则谓：此像在天平时代着色主义之绘画中，另现一新的境界，而为后世之"大和绘"风的墨画之先驱云[6]，其所予日本绘画之影响，从

【1】石田茂作：《正仓院御物年表》，《正仓院の研究》，《东洋美术》特辑。

【2】见《正仓院御物棚别目录》一九二。

【3】见《广濑都巽》，《正仓院御物佛器の二三》，《正仓院史论》，《宁乐》第十二册。

【4】宋郭若虚《图画见闻志》卷一："吴之笔其势圆转，而衣服飘举，曹之笔其体稠叠，而衣服紧窄，故后辈称之曰，吴带当风，曹衣出水。"（《学津讨源》本）

【5】伊势专一郎：《自顾恺之至荆浩支那山水画史》页92附注云："世称白描始于吴道玄，然自正仓院麻布菩萨像推之，果即始于彼欤？不无多少疑问，但彼为此种白描最初之大家则确乎其确也。"

【6】泽村专太郎：《天平时代に于ける绘画》，《天平の文化》页419—422。

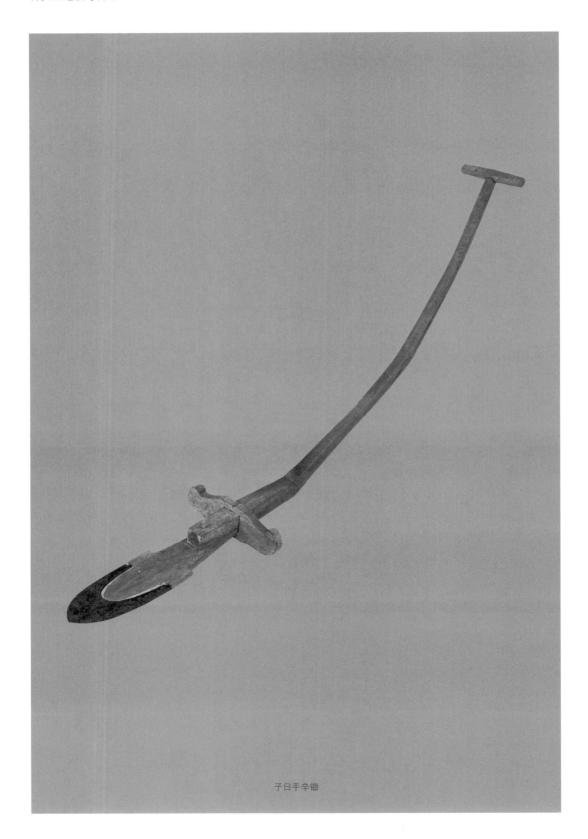

子日手辛锄

可知矣。

南棚所陈以佛教关系品物，居其泰半，类皆大佛开眼法会悬列之具，如"金铜幡"四幅，每幅四节，透雕各种花纹，上缀小铃甚多，风吹之，想当作妙音，天平金工之逸品也。"金铜枚幡镇铎"、"金铜镇铎"，皆幡上之铜铃，有圆筒、弧菱二形。"金铜杏叶裁文"、"金铜凤形裁文"、"金铜云花形裁文"，乃铃铎上附属之饰品。

此处陈有古代绫锦之属，每岁更易数点，整幅残片咸有之，大抵以佛教关系——如幡幢之类为多，言其种类有染织，有刺绣；式样有中国唐代风，有波斯萨珊风，有日本"大和锦"风；质有绫、罗、绢、绁之异；至于图案构成亦有多种变化，加之色彩繁缛，尤令人目眩神移。品物丰富，难以枚举，仅记日本学者尚未言及之"白橡绫几褥"一点，聊以绍介于世。所谓"几褥"即今之台布也，上有浅黄色织纹，谛视之，中现一热带植物，似即橡树，树下左右各有一狮跃起，左右各有二西人作戏狮之像，余间满布丛草，观其式样作风，自是波斯制品，传入日本者。忆唐李肇《国史补》有西国献狮子[1]一节，仿佛此几褥文样所描之情景，弥觉趣味盎然，附会之讥，当不免矣。关于正仓院古绫锦之研究，日本学者论文[2]颇多，余于此愧无新资料以为附益也。

【1】李肇《唐国史补》卷上："开元末，西国献狮子，至长安西道中，系于驿树，树近井，狮子哮吼，若不自安，俄而风雨大至，果有龙出井而去。"（《学津讨源》本）

【2】关于正仓院古绫锦研究论文，主要者如下：

伊达弥助：《正仓院御物古裂に就て》，《佛教美术》第五册。

明石染人：《天平时代の染织に就て》，同上第六册。

久留春年：《正仓院の古裂文样に就て》，《宁乐》第四号、第五号。

龙村平藏：《推古天平之锦》，同上第十号。

广瀬都巽：《奈良朝时代以前の刺绣に就て》，同上。

明石染人：《御物缥地莲花大文锦琵琶袋の裂地に就て》，《正仓院の研究》，《东洋美术》特辑。

涩江终吉：《その项の染织美术》，同上。

上图：彩绘佛像幡

下图：墨画佛像

金铜幡

白铜柄香炉

南仓上

转而登南仓上部，先观"中棚"见长柄香炉五点，此种香炉即鹊尾香炉，吾人尝于元魏、北齐诸造像及西陲发见之佛教绘画中见之，如河南龙门东岩某窟中[1]，又山西天龙山第二窟右方，第三窟后壁三尊左方诸处之罗汉[2]，均手执此式香炉。敦煌绘画中，如斯坦因所获之《引路菩萨图》[3]，其菩萨亦执此式香炉，导一妇人归向净土。他如《文殊普贤四观音列像图》[4]、《水月观音图》[5]，又法国Guimet博物馆所藏之《千手观音图》[6]均现此长柄香炉。迨宋元以来之造像绘画，始渐绝迹，惟刊本佛经扉画中，偶一见之，如元刊《大萨遮尼乾子受记经》[7]扉画中之侍者即执之。依佐野真祥氏所考，此式香炉，起源甚古，印度健陀罗雕刻中已现此物，又勒柯克（Le Coq）[8]在中央亚细亚发掘，获得尾端狮子镇坐之有柄香炉，约在纪元后二三世纪间之物云。[9]然中国遗物除造像绘画外，则为罕见，日本传来颇早，今存制品亦多，当以法隆寺所藏飞鸟时代（540—644）之御物金铜柄香炉[10]及正仓院御物之五具为最古。五具之质有白铜红铜二种，中以"紫檀金钿柄香炉"一具，至为华丽，环炉周嵌金银鸟花纹，镶以珠玉，灰盘缘边为狮子形，柄紫檀质，张锦缠以黑黄丝绦，柄接端作青玉莲房金莲瓣，端着蹲狮，其华饰如此。至于尾端蹲狮之型，其渊源当可上溯勒柯克（Le Coq）中央亚细亚发掘品矣。"白铜柄香炉"，意匠略

【1】见岩田秀则所摄《龙门写真集》，此集系由京都帝国大学故泽村专太郎教授指导之下而成。

【2】见常盘大定、关野贞共著《支那佛教史迹》卷三，页32、33。

【3】见A. Stein, The Thou and Buddha 图版 X X X VIII。

【4】见A. Stein, Ruins of Desert Cathay, vol. 2, 图版 VIII。

【5】巴黎Louvre博物馆藏。

【6】见Bulletin Archéologique du Musée Guimet, 图版 II。

【7】《大萨遮尼乾子受记经》，后魏释留支译，元刊本，残存第三、第七两卷，京都神田喜一郎氏藏。

【8】编者按：勒柯克（1860—1930）：阿尔伯特·冯·勒柯克（Albert von Le Coq），德国探险家。20世纪初曾参与组织了前往中国新疆吐鲁番的探险活动。

【9】见佐野真祥：《香炉》，《佛教考古学讲座》第五卷《佛具法具篇》。

【10】见原田淑人：《从考古学上观察中日文化之关系》，页46。

紫檀金钿柄香炉

同，装饰远逊，"赤铜柄香炉"三具，与六朝时代流行之式相同。

"蜜陀绘盆"，系深圆之盘，表涂白蜜陀，内绘黄色之山水花鸟人物，图样不一。

"银平脱八角镜箱"，全具满饰银平脱之凤凰宝相华文，其上复施以极细毛雕，尤见工细。"漆皮金银绘八角镜箱"，箱制以皮，髹漆，表里均有金银绘之花鸟，其色犹未脱落也。

"佐波理水瓶"二具，"佐波理"（さはり）即铜锡合金之响铜，一说本新罗语，今日本亦称响铜，二具瓶口不同，一作人面，一附口盖。又"金铜水瓶"瓶长口作翘出之鸟形。以上三具，均含密教法器色彩，盖为奈良时代供佛之器。

"南棚"悉陈镜鉴，有三十七面之多，镜背文样，制作技巧，俱优于北仓诸镜。其最可记者，如"黄金琉璃钿背十二棱镜"，白银质，镜背以纯金界为十二花瓣（六瓣二重）六小瓣，每瓣施以黄绿珐琅，殊形瑰丽。原田淑人博士云："七宝者，惟此正仓院一镜。……考诸文献，日本奈良以前已有珐琅镜，新罗芬墓塔亦有七宝针筒，是唐有此工益无疑。"可见此镜之价值。

又如"山水八卦背八角镜"，镜背遍布薄银片加镌鱼子地及山水人物花鸟，鱼子地外诸文样又镀以金，文极繁复，外缘第一轮廓，铸出八卦，间以五律一首云："只影嗟为客，孤鸣复几春。初成照胆镜，遥忆照眉人。舞凤归林近，盘龙渡海新。缄封待还日，披拂鉴情亲。"第二轮廓有凤凰文样，第三轮廓近纽处有仙山，中坐二道士，鼓琴鼓笙，龙凤鹤鹿，点缀其间，其构图亦饶道教色彩。

"平螺钿背圆镜"二面，一为两层轮廓之内配置大小花朵者；一为镜背遍布花纹，左右间以鸳鸯、犀、兕、海马，

银平脱八角镜箱

漆皮金银绘八角镜箱（盖）

蜜陀絵盆（背）

佐波理水瓶

均极炫丽可观。

此外如"十二支八卦圆镜"（左半玄武青龙子丑，右半朱雀白虎卯申），"山水人物鸟兽背圆镜"（中铸四面山水，有张帆乘舟诸人物），"叶文背圆镜"（有文曰"勿相思，勿相忘，常贵宜，乐未央"），"鸟兽葡萄背方镜"（实即海马葡萄镜）等；镜背意匠，各具妙思，不能尽述。诸镜多来自唐土，关野、原田两博士均有此说[1]，盖当有唐开元时代，玄宗千秋节，举凡赏赉献贺，无不以镜鉴为主[2]，其情况犹如晚清时代之如意，职是之故，镜鉴自当多量产出，而文样技巧，自亦美备，当时唐日交通正繁，舶载而东之品，当亦不少，正仓院诸镜，可窥其盛。然天平时代镜之铸造，亦颇发达，原田博士又云[3]："奈良镜鉴……多从唐来，亦颇自造，其时工巧，无多让于唐。正仓院文书有天平宝字六年（762）四月二日造镜用度帐——造镜四面，径一尺，厚五分，记其用度。又有镜文画样，以知自造者多也。"可证当时铸镜之发达。

"西棚"所陈皆系宗教品物，如"三钻"三柄，即三钻金刚杵，一铜制一铁制，两端均三叉带锐锋，密教修法用具也。"金铜合子"、"黄铜合子"、"银合子"、"佐波理合子"多具，其盖有作塔形者，有作圆顶者，依佐野真祥氏所考[4]，此物乃系香盒，其塔形者见于敦煌壁画中，法隆寺玉虫厨子画中亦有执塔形香盒者，此物当与香炉在佛教传来之际共传入者也。

麈尾有四柄，此即魏晋人清谈所挥之麈，其形如羽扇，柄之左右传以麈尾之毫，绝不似今之马尾拂尘。此种麈尾，恒于魏齐维摩说法造像中见之，最初者当始于云冈石窟魏献文帝时代（466—470）造营之第五洞洞内

【1】见关野贞：《宁乐时代の工艺》，《天平艺术の研究》，《佛教美术》第五册。
原田淑人：《从考古学上观察中日文化之关系》，页46。
【2】《玉海》九〇："旧纪开元十八年八月丁亥，上御花萼楼，以千秋节百官献贺，赐四品以上金镜珠囊缣彩，五品以下束帛，上赋八韵诗。"又"开元十八年八月癸亥，以诞日燕花萼楼，百像表请以每年八月五日为千秋节，王公己下献镜及承露囊。"
【3】原田淑人：《从考古学上观察中日文化之关系》，页46。
【4】佐野真祥：《香炉》，《佛教考古学讲座》第五卷《佛具法具篇》。

平螺钿背圆镜

黄金琉璃钿背十二棱镜

山水八卦背八角镜

后室中央大塔二层四面中央之维摩[1]，厥后龙门滨阳洞中洞正面上部右面之维摩[2]，天龙山第三洞东壁南端之维摩，又瑞典西伦（O. Siren）[3]氏《中国雕刻》（Chinese Sculpture）集中所载北魏正始元年（504），孝昌三年（521），北齐天保八年（550）诸石刻[4]中之维摩所持麈尾，几无不与正仓院所陈者同形，不过依时代关系，形式略有变化，然皆作扇形也。陈品中有"柿柄麈尾"，柄柿木质，牙装剥落，尾毫尚存少许，今陈黑漆函中，可想见其原形。"漆柄麈尾"，牙装；"金铜柄麈尾"，铜柄，毫皆不存，"玳瑁柄麈尾"，柄端紫檀质，毫亦所存无多。按晋时庾亮有诘康法畅麈尾过丽之逸事[5]，可见自晋以来，麈尾已尚华丽，正仓院诸具，犹存其风。又阎立本《历代帝王图卷》中之吴主孙权所持之麈，与陈品之华饰略同，亦一良证。

又有如意九件，其形见于龙门天龙山及北魏、北齐诸石刻维摩对面之文殊菩萨与《历代帝王图卷》中陈文帝、陈宣帝所持之如意，均同一形式，此则为印度式如意原形，本供讲经僧记文于上，或可作搔背之需者[6]，与晚近之笨重如意，徒以其名吉祥，只供赏赉进献者迥别。院藏诸如意之最华丽者，当推"犀角黄金钿庄如意"，柄头作白犀七叶形，界以金线，嵌以珠玉象牙花鸟，柄有红绿镂牙花纹，木画金线，极为辉煌炫目。此外又有"斑犀竹形如意"、"犀角银绘如意"、"斑犀钿庄如意"、"鲸须金银绘如意"、"玳瑁如意"，或制以斑犀、犀角，或制以鲸须、玳瑁，均无前述者之华丽。《太平御览》七〇三引刘义庆《启事》云："恩旨赐臣犀镂竹节如意，目所未睹。"是自晋已有此种华饰之如意矣。八木直道氏云[7]：如意在日本奈良时代（645—

【1】见田中秀逸编《大同石佛写真集》。

【2】见岩田秀则《龙门写真集》。

【3】编者按：西伦，即喜龙仁（Osvald Siren，1879—1966），瑞典美术史家，曾先后五次访问中国，1925年出版斐声国际的专书《五至十四世纪的中国雕刻》（Chinese Sculpture: from the Fifth to Fourteenth Century），为西方研究中国佛像雕刻的先驱者。

【4】Osvald Siren，Chinese Sculpture 图版96，153，235。

【5】《太平御览》七〇三引《语林》："康法畅造庾公，捉麈尾至彼，公曰麈尾过丽，何以得在？答曰廉者不求，贪者不与，故得在耳。"

【6】《释氏要览》卷中道具编："如意，梵云阿律那，秦言如意，《指归》云古之爪杖也，或骨角竹木，刻作人手指爪，柄可长三尺许，或背有痒，手所不到，如人之意，故曰如意。试尝问译经三藏通梵大师清沼，字学通慧大师云胜，皆云如意之制，盖心之表也，故菩萨皆执之，状如云叶。……又云讲僧尚执之，多私记节文祝辞，备于忽忘，要时手执目对，如人之意，故名如意，若俗官之手版备于忽忘名笏也，若齐高祖赐隐士明僧绍竹根如意，梁武帝赐昭明太子木犀如意，石季伦王敦皆执铁如意，此必爪杖也。因斯而论，则有二如意，盖名同而用异焉。"（日本刻本）

【7】八木直道，《数珠、如意、佛教考古学讲座》第五卷，《佛具法具篇》。

犀角黄金钿庄如意

银壶

781）佛教任何宗派皆执之，奈良朝以后，惟真言宗举行灌顶时之阿阇梨和尚为必持之具，今天台宗、净土宗、禅宗皆用之，而禅宗尤为必需之品云。按如意原为佛子法具，但中国近代释家已罕执此而为道教所窃用矣，是故吾人居今日而考如意当求之日本也。

外有锡杖、念珠等，多与今品同，不备述。

"北棚"陈三彩陶器甚夥，如"磁钵"三十五具，"磁皿"（即磁盘）二十九个，"磁瓶"一件，均如唐三彩釉也。中尾万三博士尝谓称德天皇神护景云元年（767）东院玉之宫即以琉璃瓦葺成，缘此主张正仓院之铅釉陶器亦恐为日本制作者云，而奥田诚一氏于中尾博士之言，尚具种种疑问[1]也。"银钵"二，大形"银壶"一对，壶面鱼子地，细刻狩猎图，人物生动，服装似是唐风？但刻有"东大寺银壶，天平神护二年（766）二月四日"，盖日本制也。原田淑人博士云[2]："由铭文考之，明为日本制，而其人物果否日本人？则未可知，要为当时中日俱所爱好之图文，意奈良时服装亦正如是也。"按东京广岛晃甫氏所藏之"唐三彩鸡头壶"，一面亦刻马上狩猎之姿，而日本十余年前上野国（今群马县地方）群马郡泷川村大字八幡原古坟出土之镜所现亦有纯粹日本式之狩猎文样[3]，可知此种狩猎图文乃当时两国共有之一种流行趣味，原田博士中日俱所爱好之言，良不诬也。

"北棚"外别陈"箜篌"二具，系仿制品，原器仅存残片，彩绘尚可辨视。依仿制品观之，视北京国剧学会所藏之"手箜篌"为大，当是"竖箜篌"[4]也。田边尚雄氏以为正仓院之箜篌乃亚述（Assyria）系之竖琴（Harp），此物系中国或高丽制造者云。[5]盖箜篌原

【1】详见奥田诚一：《正仓院の三彩陶器に就いて》，《正仓院史论》，《宁乐》第十二册。

【2】见原田淑人：《从考古学上观察中日文化之关系》页34。

【3】狩猎文镜拓本见内藤虎次郎：《增补日本文化史研究·飞鸟朝の支那文化输入に就きて》附载写真。

【4】《旧唐书·音乐志》："竖箜篌胡乐也，汉灵帝好之，体曲而长，二十有二弦，竖抱于怀，用两手齐奏，俗谓之擘箜篌。"

【5】田边尚雄氏：《南仓阶上にある箜篌に就て》，《正仓院乐器之调查报告》，《帝室博物馆学报》第二册。

非中国乐器，源出于亚述、巴比仑、埃及、希腊诸国之竖琴（Harp），经中央亚细亚入于中国，今仅传"手箜篌"，"竖箜篌"恐于正仓院外再无他器。至于箜篌之语源，伯希和氏则以为乃土耳其语qobuz之对音也。[1]

　　南棚上各棚上部，皆陈"伎乐面"，一如北仓，计共六十七具，内干漆者二十七面，木雕者四十面，因无细目，恕不列举，但院藏主要之面，皆在北仓中，已如前所述者矣。

【1】Paul Pelliot, Le 箜篌 K'ong heou et le qobuz.《内藤博士还历祝贺支那学论丛》。

五、结语

综观院藏诸御物，无论为唐为和，其制作之精，意匠之巧，文饰之美，色彩之丽，几无一不令人低徊赞叹而不忍去者。兹再就余个人所得观感，略摅一二，以结此编。

夫唐代过去文化之遗迹，至今最能充分表现其特色者唯正仓院所存若干遗物而已。《唐书》、《六典》诸史册所见之平脱、镂牙、宝钿、木画等巧艺，吾人往昔止能于文字中想象得之，今此诸巧艺所应用之制品，幸赖日本皇室保存于世，至今千百余载之下，犹能一一整然藏于仓内，使吾人得睹唐代过去文化之一斑，洵足令人感谢者也。

至于院藏日本诸制品，诚可谓奈良朝文化之菁华，烂缦芳菲有如吉野盛开之樱，当时之文化，虽曾感受唐代影响，然善于摄取其精英，又富熔铸力，于是脱却旧范，别抒新轴，另具一种日本特有之风调，吾人可于院藏品物中见之，巧思妙技，超乎今古也。

总之，正仓院御物之特殊性，固不仅显示有唐过去文化之盛，而中日文化交流所形成之天平文化的优越性并于此表现无遗，弥足使人瞻仰感叹者矣。

正仓院藏品选

花毡

红漆橱

八角铜镜

金银平脱背八角镜

犀角杯

绣鞋

金银龟甲盒

玳瑁如意

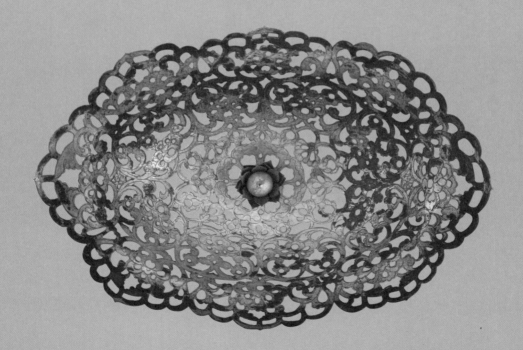

镀金铜花形盒子

鸟兽葡萄方镜

山水人物鸟兽纹铜镜

漆金薄绘盘

沉香木经筒

碧地彩绘几

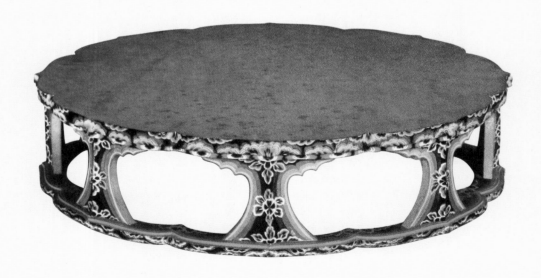

粉地彩绘八角几

蜜陀彩绘忍冬凤纹小柜

青斑石龟盒子

青斑石砚

黑柿苏芳染金银绘如意箱

紫檀小架

朽木菱形木画箱

银平脱龙船墨斗

白葛箱

笼箱

孔雀纹刺绣幡

附 录

正仓院考古余记

傅芸子

　　正仓院为日本帝室宝库，在奈良东大寺境外西北，约建于天平胜宝三年（751），所藏珍品，多为圣武天皇御物，或自隋唐中土传来，或系日本奈良时代（645—781）制作，凡五千六百余点，皆天壤瑰宝，希世名品。余东游时曾蒙特许，数次入览，撰为《正仓院考古记》一书，稽其源流，明其特色，客岁问世之后，谬蒙中日学人称许，私心滋惭，以为未能尽阐其要也。院藏各种古物，举凡与吾国名物有关者前书多为诠释，借资考证，顾尚有一二为余浅学所未悉者，姑付阙如，未敢臆断，乃书成之后，不意忽有所得，兹别记之，聊以补遗云耳。

　　院分三部，以北、中、南三仓区之，内设数棚（棚，タナ，橱架类物，此处乃玻璃柜），陈列古物。北仓阶下（仓分上下二层）南棚内所陈药品之外，尚有"白玉镇子"八方，长约尺许，大理石质，其上浮雕十二支者六方（每方二支），其二方一雕青龙朱雀，一刻白虎玄武，周环云纹及忍冬花纹，二物交互围绕其中，姿态生动，雕刻工致。故大村西崖氏云[1]："大理石向为日本所不产，四神十二支雕刻，与魏隋唐碑额技风相同，然则此石刻亦当为中国产物，或系当时东渡华工制作亦未可知云。"此自材质及制作方面言之，可证其为唐物者。又关于此种禽兽交组花纹意匠之渊源，据

[1] 见大村西崖《正仓院志》（审美书院本）。

白玉镇子

原田淑人博士所考[1]："印度阿健达洞窟天井栏间镶板（Panel）有此种描画。依伊东博士所唱唐代碑侧所刻花纹，其始源可求之印度及西方亚细亚之说，则此四神十二支刻石亦或受有印度影响者云。"其说深有见地。至于此物用途，自来日本学者，尚乏详细之释明，惟《正仓院御物图录》第四辑说明，推定为建筑所用之镶板（Panel）。余昔屡观此物，惟觉其禽兽交组花纹之富有印度趣味，但究作何用，迄未明悉，故前书亦未敢率尔言之。近读明人徐㶿《笔精》卷二诗话，犀渠条云："鲍照《白纻歌》：'象床瑶席镇犀渠'镇，压席之物，即今之镇子也。古者坐必席地，以镇石压其四角，恐卷动不安。犀渠即砗磲也，梁昭明《将进酒》：'宜城溢渠碗，中山浮羽卮。'渠碗亦砗渠也。"余读此始恍然院藏镇子之为用矣，盖其物颇重，以之镇压席角，确为适用，镶板之说，恐不尽然。又自今院藏实物观之，其石色白如玉，又知鲍诗状物之妙，所云"犀渠"者，乃言石色洁白，有如砗渠，而非砗渠所制之镇子，盖砗渠蛤属，其重固不足以压席也。

由此"白石镇子"联想中仓阶下北棚内之"白石火舍"一对，亦大理石制，其形略如今冬季所用炭盆，下有狮子衔环五足铜架承之，今残灰犹存。以外尚有"金铜火舍"、"白铜火舍"各一具，则均铜制者。"白石火舍"自石材言之，当来自中土，而自全体观之，此种狮子衔环形足架铜火盆，考之今存实物，唐代原有此风，按美国Holmes夫人所藏"唐鎏金兽火舍"[2]即与院藏火舍同形，惟四狮衔环下擎，然其技风则一，而华丽过之，均足想见唐人日常生活之片影也。

南仓阶上中棚，内陈"金银花盘"一器，盘跟质，

【1】见原田淑人：《正仓院御物を通して观をゐ东西文化の交涉——东亚古文化研究》。

【2】见《唐宋精华》（美国之部）图版第六十一。

白石火舍

金银花盘

六角花形，盘中有凿出之鹿形一，周为花纹。下有银质花形三足呈之，饰以银丝贯五色珠玉璎珞，璀璨交辉，极形都丽。据《正仓院御物图录》第十二辑所载，盘之背面刻有"东大寺花盘重大六斤八两"及"宇字号二尺盘一面重一百五两四钱半"两行铭识，二行镌法不同，字体亦异，或为唐风，或属和式，次行所刻宇字号云云，尤为吾国编号惯习，此器决为唐物无疑，意当时入唐僧侣赍归以献佛者。就中有一可注意者，即盘中隆起之鹿，其角作灵芝形，决不似图像中习见之鹿角。惟昔年德国格鲁威德尔（A.Grünwedel）教授尝于吐鲁番附近古高昌遗址发见之壁画中见之，所绘为二高昌官宦旁置一鹿首水瓶，其角则作花形隆起，与院藏盘中鹿形同。[1]原田淑人博士尝谓[2]："此种鹿形意匠，中国昔未之见，恐受西方影响者。"其言良然，以余所知，此种鹿形花纹，唐代尚有施于镜鉴中者，日本嘉纳氏白鹤美术馆所藏"唐金银平脱花枝禽兽纹八花鉴"[3]中有小鸟花卉及鹿相间之纹样，鹿形凡二，角即作芝形，与前述二鹿角，完全同形，此镜华美工巧，与院藏花盘，可谓同一富丽，想为当时贵介用品，而鹿形又为唐人喜慕胡风之一证也。

《国立华北编译馆馆刊》第一卷第一号

（民国三十一年十月）

【1】此壁画见Alt—Buddhistische Kultsl tten in Chines—Turkistan s.334.

【2】见原田淑人：《正仓院御物を通して观を为东西文化の交涉——东亚古文化研究》。

【3】见《白鹤帖》第一辑，图版第27。

日本奈良正仓院藏
六唐尺摹本跋

王国维

　　日本奈良正仓院藏唐尺六，乃彼国天平胜宝八年（当唐至德二载）孝谦天皇之母后献于东大寺者，凡红牙拨镂尺二，绿牙拨镂尺二，白牙尺二。曾影印于《东瀛珠光》中。余从沈乙庵先生借摹，以今工部营造尺度之，绿牙尺乙长九寸五分五厘，红牙尺乙长九寸四分八厘，白牙尺二均长九寸三分，红牙尺甲与绿牙尺甲均长九寸二分六厘。其最长者，与余所制开元钱尺略同。其刻镂傅色，工丽绝伦。《大唐六典》"中尚署令"注："每年二月二日进镂牙尺"。此云红牙拨镂尺、绿牙拨镂尺，并唐旧名。其制作之工，亦非有唐盛时不办。我国素无唐尺，此当为海内外所仅存者矣。（丙寅五月，乌程蒋谷孙寄余镂牙尺拓本，其形制长短与正仓院所藏唐尺同。此尺即藏谷孙处，始知我国非无唐尺也。）唐尺旧史无述，亦不言其与前代尺之比例，余疑其即用周、隋之尺。何以证之？《大唐六典》"金部郎中"职言："凡度以北方秬黍中者，一黍之广为一分，十分为寸，十寸为尺，十二寸为大尺，十尺为丈。"又云："凡积秬黍为度量权衡者，调钟律，测晷景，合汤药，及冠冕之制则用之，内外官司悉用大者。"而《隋志》谓"开皇官尺即后周市尺，当后周铁尺一尺二寸"。周、隋时以铁尺调律，以市尺、官尺供官私之用，唐之尺制全出于此。此一证也。开皇时，以古斗三升为一升，古秤三斤为一斤。唐亦以古三两为一大两，分明出于隋制，权衡如是，度亦宜然。此二证也。后周铁尺，据达奚震、牛弘校以上党羊头山大黍，累百满尺，谓为合古，则《六典》所云"累黍之尺"，虽语出《汉志》，而事本宇文。又周、隋则累百满尺，唐则一黍为分，事正相合。且达奚震等奏，谓许慎解秬黍体大，本异于常，疑今之大者，正是其中。是周、隋所据大黍与唐所云中黍，本非有异，此三证也。《宋史·律历志》载翰林学士丁度议："今司天监影表尺，和岘所谓西京铜望臬者，盖以其洛都旧物也。（原注：晋荀勖所用西京铜望臬者，盖西汉之物。和岘谓洛阳为西京，乃唐东都耳。）今以货泉、错刀、货布、大泉等校之，则景表尺长六分有奇，略合宋、周、隋之尺。由此论之，铜斛、货布等尺寸，昭然可验。有唐享国三百年，其间制作法度，虽未逮周、汉，然亦可谓治安之世矣。今朝廷必求尺之中当依汉钱分寸，若以为太祖膺图受禅，创制垂法，尝诏和岘用影表尺与典修金石，七十年间，荐之郊庙，稽合唐制，以示诒谋，则可且依影表旧尺"云云。如是，则丁度以宋司天监所用景表尺为唐尺，其尺当汉泉尺一尺六分有奇，故丁度等谓唐尺略合于周、隋之尺。《玉海》谓其与后周铁尺同。此四证也。（宋司天监景表尺，丁度等以为唐尺。然《宋史·律历志》又谓，今司天监圭表乃石晋时天文参谋赵延义所造，则实非唐物。然五季未遑制作，则亦当仍用唐尺也。）《隋志》言，开皇官尺当建武尺之一尺二寸八分一厘，今此六尺中之红牙尺乙，正当建初尺之一尺二寸八分二者，比例相同。又《唐书·食货志》言：开元通宝钱径八分，此钱铸于高祖武德四年，必用隋尺。今累开元通宝钱十二有半，即唐之一尺，较此六尺中最长者仅长二分许，而寸寸而累之，又不能无稍赢余，其相去实属无几。此五证也。故唐尺存而隋尺存，隋尺存而《隋志》之十四尺无不存，学者于此观其略焉可也。

图书在版编目(CIP)数据

正仓院考古记 / 傅芸子著. —— 上海 ：上海书画出版社，2014.4 （艺术与鉴藏）
ISBN 978-7-5479-0734-4

Ⅰ．①正… Ⅱ．①傅… Ⅲ．①历史文物－介绍－日本②历史文物－介绍－中国－唐代 Ⅳ．①K883.13 ②K871.43

中国版本图书馆CIP数据核字(2013)第302454号

正仓院考古记

傅芸子 著

责任编辑	王　剑　睦菁菁
审　读	茅子良
责任校对	周倩芸
封面设计	岳文婧
技术编辑	杨关麟　包赛明

出版发行	上海世纪出版集团 ⑩ 上海书画出版社
地址	上海市闵行区号景路159弄A座4楼
邮政编码	201101
网址	www.ewen.co www.shshuhua.com
E-mail	shcpph@163.com
制版	上海文高文化发展有限公司
印刷	上海画中画包装印刷有限公司
经销	各地新华书店
开本	787×1092　1/16
印张	11
版次	2014年4月第1版　2021年11月第6次印刷
印数	12,001-14,800
书号	ISBN 978-7-5479-0734-4
定价	88.00元

若有印刷、装订质量问题，请与承印厂联系